ON ATTEND LES ENFANTS

Madeleine Chapsal mène, depuis toujours, une double carrière de journaliste et d'écrivain. Elle a fait partie de l'équipe fondatrice de L'Express.
En ce qui concerne sa carrière littéraire, elle a notamment publié :
Aux éditions Grasset : Une femme en exil, Un homme infidèle, Envoyez la petite musique..., La Maison de Jade. *Aux éditions Fayard :* Adieu l'Amour, La Chair de la robe, Une saison de feuilles, Le Retour du bonheur, Si aimée, si seule, On attend les enfants, Mère et filles. *Aux éditions Acropole :* L'Ami chien.
Un film a été tiré de La Maison de Jade *et un télé-film de* Une saison de feuilles.
Madeleine Chapsal est membre du jury Femina depuis 1981 et Chevalier de l'Ordre du Mérite.

A Saintes, dans la vieille maison de famille, Margot, une femme de cinquante ans, divorcée, et M. Pomerel, son père, veuf et très âgé, attendent les enfants.
Les enfants, ce sont Caroline, la fille unique de Margot, son mari Thierry et leurs trois petites filles. Ils ont loué sur la côte pour le mois d'août et promis de faire étape à Saintes.
La maison ronronne de bonheur : on attend les enfants!
Hélas! quelques heures avant leur arrivée, Caroline téléphone : ils ne viendront pas.
Immense déception.
Commence alors, pour Margot, une sorte de cheminement intérieur. A son âge – le milieu de la vie – à quoi sert-elle? En quoi les enfants, occupés d'eux-mêmes et de leurs propres enfants, ont-ils besoin de sa présence?
Un après-midi, à Pontaillac, M. Pomerel retrouve une vieille amie de son âge, Mme de Brizambourg. Tous deux renouent et Margot se sent encore plus inutile : même son père se passe d'elle!
Laissée seule dans la vieille maison, Margot finit par admettre qu'elle n'est pas la gardienne des enfants ni de son père, mais uniquement celle du bonheur. N'est-ce pas ce qui compte : protéger le bonheur? Etre un chaînon solide entre les générations? Tâche humble, en apparence modeste, invisible – en fait immense.
C'est au moment où elle vient de trouver sa place, celle de l'âge mûr, que Pierre, son ancien mari, la relance : il s'entend mal, à l'usage, avec les jeunes femmes – pourquoi ne vieilliraient-ils pas ensemble?
Margot y consent : elle a compris que les générations s'accommodent mieux entre elles. Alors que les enfants, par nécessité, sont cruels.
C'est la dure sagesse apportée par l'été.

Dans le Livre de Poche :

Envoyez la petite musique
La Maison de Jade
Adieu l'amour
Une saison de feuilles
Douleur d'août
La Chair de la robe
Si aimée, si seule
Le Retour du bonheur
Mère et filles

MADELEINE CHAPSAL

On attend les enfants

ROMAN

FAYARD

CHAPITRE I

Chacun guette la météo. Bien sûr, après un tel mois de juillet, si sec que le maïs et même la vigne en sont ravagés, un peu de pluie ne ferait pas de mal. Ce serait même souverain.

Mais tant pis, il pleuvra plus tard : ces deux jours-là, il faut qu'il fasse beau !

C'est tellement plus agréable de déjeuner dans la véranda, la lumière est plus belle que dans la salle à manger, et puis cela permet de profiter des nouveaux arrangements. Du mur repeint, du dallage refait, de la jolie toile cirée qui imite si parfaitement la moire, trouvaille de Margot avant de quitter Paris. Et aussi d'admirer le dernier tableau naïf de M. Pomerel, suspendu entre les pots de géraniums. Eux-mêmes un peu pâlichons, cette année, ils ont manqué d'engrais, mais on n'en dira rien et personne ne le remarquera.

Et puis, si on déjeune dans la véranda qui ouvre sur le jardin, les petites pourront aller et venir sans qu'on les quitte des yeux.

Après le long voyage en voiture, les enfants auront envie de se dégourdir les jambes, c'est bien naturel à leur âge. D'autant qu'elles auront eu chaud en voiture, même si la nouvelle Renault est spacieuse. Pour le trajet, il vaudrait peut-être mieux qu'il ne fasse pas trop beau ? Mais les enfants se sont rendus dans le Midi au plus fort de la canicule et ne s'en portent pas plus mal. (Ils sont jeunes.) C'est du moins ce qu'ils ont dit à leur dernier coup de téléphone. Cela fait maintenant plus de trois semaines.

Il faut bien ça pour les préparatifs.

C'est au matin — la nuit porte conseil — que M. Pomerel s'inquiète le plus :

— Margot, viens près de moi, j'ai quelque chose à te dire.

Margot s'approche de son père qui, assis devant son bureau, courrier ouvert, journal décacheté, fait le « point » avant de passer à table.

— Qu'y a-t-il, papa ?

— Il faudra donner des ordres...

— Quels ordres ?

— Eh bien, pour qu'on fasse les lits !

— Enfin, papa, tu te doutes bien que j'y pense. Ils sont même déjà faits.

— Ah bon ! Mais où vont-elles coucher ?

Comme s'il ne le savait pas parfaitement ! Toutefois, Margot a fini par comprendre que son père prenait un plaisir renouvelé à savourer à l'avance les détails de l'installation de chacun, d'autant plus que cela se passe à son étage. Alors, patiemment, elle répète :

— Eh bien, Caroline prendra la chambre au grand lit. Et on mettra les deux petites dans celle à deux lits, qui est contiguë.

— Et la toute petite ?

— Mélissa couchera avec sa mère, puisque son père n'arrive que le lendemain.

— Elle va être mal ?

— Elle sera rassurée, au contraire... A l'âge de Mélissa, on n'aime pas dormir seule dans une maison inconnue.

— Mais elle est déjà venue ici !

— Elle n'avait que trois mois, papa ; elle a maintenant trois ans et ne doit pas s'en souvenir...

— A propos, il faudra que j'ôte mes affaires de l'armoire...

— Ne t'en fais pas, je les monterai momentanément au grenier.

Le lendemain, un autre souci a pris forme :

— Qu'est-ce qu'on va leur donner à manger ?

Cette fois, Margot lève les yeux au ciel — préparer un menu à quinze jours de distance est quand même un peu prématuré —, puis elle se dit que son père, sous son air faussement préoccupé, déguste son plaisir : l'arrivée dans sa vieille maison de sa petite-fille et de ses trois arrière-petites-filles !

Un bonheur pareil, il veut le plus possible en exprimer chaque goutte, et s'y prend à l'avance.

Il y a si longtemps qu'il l'espère.

Surtout qu'à plus de quatre-vingt-dix ans, il doit se dire que cela risque de ne pas se reproduire... Depuis plusieurs années, les enfants préfèrent passer leurs vacances à l'étranger. Ou alors sur la Côte. Ce qui ne leur laisse pas la possibilité d'aller jusqu'à Saintes, et il ne reste à M. Pomerel que le plaisir un rien amer de se faire raconter leur été au retour, à Paris.

Mais, cette fois, ça y est, ils viennent ! Ils vont même coucher. Rien qu'une nuit.

Quelle nuit !

Cela fait six mois qu'on en parle.

Tout a commencé par un coup de téléphone de Caroline à sa mère :

— Tu sais, maman, cette année, pour les vacances, on a loué à Salins-les-Bains.

— Près de La Rochelle ?

— Oui, ça n'est pas loin de Saintes.

— Mais alors...

— On l'a fait exprès ! Il y a longtemps qu'on n'est pas venu à Saintes, comme ça on ira et les filles pourront voir leur arrière-grand-père chez lui.

— Il sera si heureux !

— Je sais. Et puis, vous pourrez nous rendre visite, vous aussi.

Idyllique.

Quelques jours plus tard, au déjeuner hebdomadaire chez son père, quand Margot lui annonce la nouvelle, le vieil homme hoche la tête comme s'il enregistrait, sans plus.

La semaine suivante, Margot s'aperçoit que M. Pomerel garde une carte routière dépliée sur son bureau, celle de la Charente-Maritime.

— Viens voir, finit-il par dire.

D'un trait de Bic rouge un peu hésitant, le vieil homme a souligné la route qui mène de Salins à Saintes. Ou plutôt les routes, car il a indiqué une déviation.

— Tu vois, si on passe par la voie express, ça fait cinquante-cinq kilomètres. Ce qui ne prend pas plus de trois quarts d'heure.

— En août, ça demande un peu plus...

— C'est pour ça que j'ai cherché un autre chemin. Regarde, on prend par la départementale, Surgères, Saint-Jean-d'Angely, Taillebourg, ou alors Tonnay-Boutonne, Saint-Hilaire, et on retrouve Saintes par Fontcouverte ! Ça allonge à peine : soixante et un kilomètres au lieu de cinquante-cinq. Bien sûr, ça tournicote un peu dans les vignes, mais il n'y a personne... Quand Caroline va venir me voir, je lui donnerai la carte.

— C'est bien, papa.

Margot encourage son père à faire des projets. Cela le soutient, illumine d'avance son été. Les mois d'août sont un peu trop semblables depuis que certaines infirmités le privent des déplacements qu'il aimait tant.

Margot ne se rend pas compte qu'elle fantasme autant que lui ! Elle imagine déjà la maison pleine !

Caroline n'y est pas pour rien :

— Maman, si tu vas à Saintes, tu ne peux pas faire un saut jusqu'à Salins pour voir comment c'est ? On a loué sur annonce, on n'a même pas vu de photo.
— Entendu, ma chérie, je m'arrangerai.

C'est en plein hiver et par un vent violent que Margot se rend à Salins-les-Bains. Il n'y a presque personne à cette époque dans la petite station balnéaire, et Margot, qui se perd dans les rues désertes, entre dans une boulangerie pour demander son chemin.
— L'avenue des Hortensias, s'il vous plaît ?
Elle en profite pour acheter du pain, des croissants — ils ont l'air croustillants, elle va retenir l'adresse pour la donner à Caroline. Au moment de sortir, Margot ne peut s'empêcher de confier à la commerçante :
— Ma fille a loué pour le mois d'août.
— C'est bien, ça, dit la boulangère d'un ton machinal.
— J'espère que la maison est suffisamment grande, ajoute Caroline. Son mari, elle et les trois enfants, ça fait cinq, sans compter le chien !
— Tout ce que je sais, dit la femme, c'est que ça donne sur la plage...
— Pour les enfants, c'est l'idéal, dit Margot.
En remontant dans sa voiture, son croissant à la main, Margot rit d'elle-même : elle n'a eu qu'un enfant, une fille, Caroline ; maintenant, elle éprouve une véritable fierté à dire à qui veut l'entendre : « Ma fille a trois enfants ! » Tout juste si elle n'ajoute pas : et ça n'est pas fini !
Elle ne peut pas pénétrer dans la maison sans les clés, mais l'annonce n'a pas menti, le jardin donne directement sur la plage et de grandes baies vitrées, probablement coulissantes, laissent présager qu'on peut y vivre mi-dedans, mi-dehors. Ce sera parfait.

— Dis, maman, grand-père n'aurait pas des draps à nous prêter ? demande Caroline quand sa mère lui fait au téléphone le compte rendu de sa visite à Salins. La propriétaire nous a dit qu'il fallait apporter le linge de maison. J'ai peur de ne pas en avoir assez, et la voiture sera déjà tellement chargée, avec le chien, la planche à voile, le barbecue...

— Mais bien sûr, ma chérie.

Les vieilles armoires de M. Pomerel ne contiennent que des draps de fil blanc très usés ; qu'à cela ne tienne, dès son arrivée à Saintes, Margot se rend dans les rues piétonnières où elle achète quatre paires de draps à fleurs pour petits et grands lits.

— C'est pour ma fille et mes petites-filles, explique-t-elle à la vendeuse. Elle a loué une maison pour cet été et vous savez comme c'est, il faut du linge. Ah, je préfère ceux-là, les dessins conviennent mieux pour des enfants, la dernière n'a que trois ans... C'est combien, ces petits peignoirs mauves et verts ?

Il y a plus de trois ans, le bout de chou, Mélissa, n'était pas né. Et voilà que maintenant, solide, la voix haute, violente à certains moments, elle tient presque plus de place que ses deux sœurs. Caroline, d'ailleurs, est de plus en plus submergée : école, danse, sports, dentiste, séjours en colonies... La vie d'une mère de famille moderne demande de l'esprit d'organisation, l'emploi du temps est serré. Ce qui fait qu'il faut prévoir à l'avance les visites à la famille, aux grands-parents des deux côtés, et à l'arrière-grand-père. Cela ne peut pas être très fréquent. M. Pomerel le comprend. Enfin, il fait semblant : « Un vieux bonhomme comme moi, ça n'est pas très drôle pour des enfants... »

Quand elles viennent, il demande à Margot de leur acheter de sa part des petits cadeaux : « Tu sais, à mon âge, je ne sais pas bien ce qu'il faut pour des petites filles. Prends ce que tu veux, je te rembourserai. »

Margot arrive avec des paquets enrubannés et son père met tout de suite la main à son portefeuille : « Qu'est-ce que je te dois ? »

C'est plus fort qu'elle, Margot lui donne un chiffre inférieur à ce qu'elle a dépensé : M. Pomerel n'a plus l'habitude des prix, surtout ceux des jouets d'enfants. Elle a le sentiment que s'il payait ce qui pour lui risque de paraître un peu cher — il vit de sa retraite de fonctionnaire —, cela lui donnerait de l'anxiété et gâcherait un peu son plaisir de gâter ses arrière-petites-filles.

En réalité, c'est elle qui s'angoisse à son sujet. Elle a peur de le voir vieillir, perdre le contact. Il était si bien dans son temps.

— Papa, regarde les beaux draps que j'ai trouvés pour Caroline !

— Il n'y en a pas dans l'armoire ?

— Si, mais elle en a besoin pour Salins.

— Ah bon... C'est joli, très gai !

On passe les draps à la machine pour leur ôter l'apprêt. Tendus sur un fil au jardin, ils sèchent toute une journée comme de joyeux étendards destinés à annoncer à toute la maisonnée, aux oiseaux, à l'herbe, au chat, aux voisins, qu'on attend les enfants !

— Je voudrais une truite saumonnée, Madame Patarin.

— Tenez, prenez celle-ci, elle est belle, dit la poissonnière après avoir fourragé parmi le monceau de poissons brillants offerts sur son étal.

— Je la trouve un peu petite...

Mme Patarin la considère avec étonnement. D'habitude, Margot se contente de moins.

Margot se rengorge :

— C'est que nous allons être... attendez que je compte : près de dix... Oui, nous attendons les enfants, ils viennent passer la nuit et la journée avant de se rendre à Salins, ils ont loué pour l'été.

— Ah, dit Mme Patarin, qui écoute gentiment. Dans ce cas, je vous conseille d'en prendre deux.

Pour le déjeuner du lendemain, Margot a prévu un gigot. S'il en reste, son père et elle pourront le manger le soir, froid avec une sauce mayonnaise, et éventuellement le jour d'après. A moins que Caroline ne veuille l'emporter pour leur premier dîner à Salins.

Bien sûr, les petites ne mangent pas tellement, mais au déjeuner du lendemain il y aura Thierry, son gendre, qui vient les rejoindre directement de Paris. Leurs rapports sont excellents, quoique distants. Thierry, d'emblée, a voulu continuer à la vouvoyer ; Margot le tutoie, puis, de temps en temps, se trompe et revient au vous.

Thierry est le mari de sa fille. Il n'a jamais voulu être son fils. Ou est-ce elle qui n'a pas su y faire ? Tout ça se joue sur des pointes d'épingle et Margot n'insiste pas : Thierry, fils unique, adore sa mère, qui peut-être n'apprécierait pas trop qu'il entre totalement dans la famille de sa femme. Il la préserve, c'est normal, d'autant plus que Caroline a tendance à considérer que la vraie grand-mère, la seule, c'est elle, Margot.

Elle-même, quand elle était mariée avec Pierre, pensait que c'était sa mère à elle, la grand-mère de Caroline, et que l'autre, Mme Langrand, n'était qu'une « usurpatrice ». Cela faisait rire Pierre : « Tu es vraiment la fifille à ta maman... Je te signale que moi aussi, j'ai une mère ! »

De génération en génération, le même conflit recommence et, désormais, Margot veille à respecter les sentiments de chacun. Surtout les plus enfouis.

Pour ménager les petites, afin qu'elles vivent le plus longtemps possible loin des disputes familiales, cette abomination.

Son divorce a suffisamment affecté Margot, même si sa fille et elle n'en parlent pas. Peut-être devraient-elles en discuter, maintenant que Caroline est à son tour mariée ? Mais quand ? Elles ne sont plus jamais seules, il y a toujours entre elles l'une des petites, ou Thierry.

Un jour, Caroline osera peut-être ce que Margot ne s'est jamais permis avec M. Pomerel : elle posera des questions sur la vie privée de ses parents. Pourvu qu'elle se souvienne suffisamment de ce qui s'est passé entre Pierre et elle pour lui dire la vérité... Seulement, plus le temps s'écoule, plus Margot a tendance à minimiser les conflits de leur vie conjugale pour ne se souvenir que des meilleurs moments. Ne vient-elle pas de composer un album avec les photos un peu jaunies, mais si drôles, de leur voyage de noces ?

— A quelle heure arriveront-elles ?

— Je ne sais pas, papa, cela dépend de celle à laquelle elles partiront du Midi ; tu sais, c'est long jusqu'ici...

— Il y a l'autoroute de Bordeaux.

— Il est surchargé, en cette saison. Et puis, elles séjournent chez la mère de Thierry, il faut le temps, le matin, de faire les paquets et de se dire au revoir...

— Elles n'ont qu'à charger la voiture la veille, comme ça il n'y a plus qu'à démarrer... C'est ce que je faisais quand je partais en Espagne avec ta mère.

M. Pomerel prévoit chacun des gestes à accomplir ; si c'était lui qui s'en occupait, tout irait mieux et plus vite, doit-il penser ! C'est qu'il a l'expérience. Du temps qu'il était jeune, ce qu'il a pu circuler dans ses petites voitures sportives !

Margot se dit que ce qu'il y a de merveilleux avec les enfants, c'est qu'on revit à travers eux ses propres souvenirs. Elle-même se revoit calée dans le fond de la voiture paternelle avec *Sirocco*, le fox-terrier à poils longs qu'elle tenait par le cou tout au long du voyage, au risque de l'étrangler, pauvre bête.

Plus tard, Caroline, cantonnée à l'arrière, venait se glisser peu à peu à l'avant entre elle et Pierre. « Enfin, ma chérie, reste derrière, c'est dangereux ! » lui criait Pierre à intervalles réguliers.

Ils auraient dû avoir un autre enfant. Ne fût-ce que pour Caroline. Pour eux aussi, peut-être.

— Un kilo et demi de haricots verts... Non, deux kilos.

Elle les fera faire en salade par Mme Vauban. Avec la vinaigrette à part. Comme ça, s'il en reste, ils pourront les manger au déjeuner du lendemain, en variant un peu l'assaisonnement.

Puis elle achète des fromages, des pâtes molles en songeant aux enfants. Elle prend aussi des yaourts aux fruits, elle-même les déteste, trop sucrés, mais les enfants adorent ça, son père aussi.

Pour le dessert, alors là, pas d'hésitation : des tartes aux fruits. Elle les commande par téléphone à la pâtissière qui promet de les livrer en fin d'après-midi, et elle en prend de deux sortes, pour qu'il y ait le choix : aux mirabelles et aux abricots.

Elle achètera le pain le jour même, de la baguette et du complet. Du beurre aussi, à la motte, doux et demi-sel, il est tellement délicieux avec son goût de noisette. Cela les changera du Midi où si légumes, fruits et melons sont convenables, les produits laitiers ne valent pas ceux d'ici.

— Tu n'as rien ramené pour les enfants ? lui dit son père après qu'elle lui a fait part de ses achats et de ses commandes.

— Mais elles mangeront la même chose que nous, et je leur ai pris en plus des pots de crème...

— Je veux dire comme petits jouets.
— Écoute, papa, elles ne viennent pas pour ça... Le lendemain, ils partent tous à la mer, et la voiture sera bourrée...
— Les enfants aiment bien ce qui est nouveau. Trouve-leur des cadeaux de ma part, je ne sais pas quoi, moi, je t'ouvre un crédit...

Maintenant, c'est son père qui sait mieux qu'elle ce qui convient aux enfants ! Margot se dit que si elle n'y a pas songé, c'est qu'elle avait envie, pour une fois, que les enfants soient contentes rien que de les voir, eux, et pas à cause des cadeaux.

Au moment où elle va pour sortir, son père la rappelle : « Prends aussi quelque chose pour Caroline. »

Si sa petite-fille demeure à ses yeux une enfant, elle est aussi une femme et M. Pomerel, toute sa vie, a fait des cadeaux aux femmes. Il a envie de recommencer, ça le rajeunit.

Il est possible que Margot y ait secrètement pensé, car il lui vient tout de suite à l'esprit l'image d'un petit bracelet aux couleurs vives, métal et émaux, qu'elle a vu sur le cours National. Il est encore en vitrine et ne vaut pas très cher, sa beauté tient à une série de fins pétales rouge-orangé. Sur la peau bronzée de Caroline, ce sera du meilleur effet. Margot l'essaie à son propre poignet, elle en a presque envie pour elle-même, mais, depuis quelque temps, elle préfère voir les jolies choses sur sa fille. Cela lui cause une plus grande satisfaction : comme si c'était sur cette jeune femme de vingt-huit ans que chiffons et bijoux étaient vraiment à leur place. Pourtant, Caroline apprécie que sa mère soit bien vêtue, soignée, pomponnée même. M. Pomerel aussi.

Elle mettra sa nouvelle robe, celle dans ce tissu à fond blanc, imprimé de grosses roses mauves et vertes, que lui a si bien réussie la couturière de Saintes.

Autrefois, quand elle ne portait pas une robe de grande maison, elle se sentait infériorisée. Maintenant, Margot s'est mise à faire comme sa mère, elle achète son tissu et le confie à la couturière à façon, c'est moins cher. La vérité, c'est que ça l'amuse d'utiliser toutes les jolies formules de la couture : « Ça godaille, il faut redonner, on va rabattre, si on ramenait sur le devant... » Avec le prêt à porter, on ne s'exprime plus que par numéros. Margot est un 40, parfois un 42 ; Caroline, un 38. Le dialogue couture s'arrête là. C'est dommage.

Elle mettra aussi son collier de perles, celui qui lui vient de sa mère et qu'elle a promis à Caroline. Trois rangs de perles dans une maison provinciale comme celle de Saintes, c'est peut-être un peu exagéré ; en même temps, cela embellit. Sa mère lui disait toujours : « Tu verras, ma petite fille, quand le cou vieillit, rien ne vaut un collier de perles... On en oublie de regarder ta peau. »

Margot s'est parfois dit qu'elle devrait donner dès maintenant le collier à Caroline, pour que sa fille en profite plus tôt. Mais quand elle le lui a proposé, Caroline lui a gentiment répondu qu'elle n'en avait « rien à foutre », des perles, que ça faisait « Madame ».

Il est vrai que son cou, si beau, si lisse, est mieux mis en valeur par une légère chaîne d'or, ou un bandana.

En même temps que le poisson, Margot achète des fleurs par brassées : phlox, lavaters, mufliers, marguerites, quelques roses aussi, de ces roses de jardin avec beaucoup de feuilles et de solides épines.

Ce sont les petits cultivateurs des environs de Saintes qui, en même temps que leurs légumes, apportent au marché ces jolis bouquets qu'ils proposent dans des seaux. Si on en veut — surtout les roses —, il faut y aller tôt, sinon tout est parti. Il y en a peu et c'est si peu cher : tout à dix francs.

Avec soixante francs, Margot a de quoi remplir sa maison.

Pour disposer les fleurs dans les vases, elle s'installe sur la table de la cuisine recouverte d'une toile cirée elle-même fleurie, et bavarde avec Mme Vauban qui prépare les haricots verts.

— C'est à quelle heure qu'elles arrivent ?

— Elles vont probablement téléphoner d'une station de l'autoroute, quand elles seront un peu avancées sur le trajet.

— Je pensais que votre fille vous appellerait hier soir...

— Elle devait avoir tellement à faire, avec les paquets...

Margot aussi le pensait, elle a fait exprès de ne pas s'éloigner, la veille au soir, renonçant à sa promenade digestive sous la charmille. Son père n'entend pas toujours le téléphone, lorsqu'il est devant la télévision. Mais rien n'est venu. Pour ne pas reconnaître sa déception, c'est d'un ton enjoué qu'elle a répondu à Mme Vauban.

Il n'y a pas si longtemps que Mme Vauban travaille pour eux, depuis que la vieille Honorine a pris sa retraite, et elle ne connaît pas vraiment Caroline, qu'elle n'a vue qu'une fois. Comme la plupart des personnes de la région qui donnent quelques heures de ménage, Mme Vauban est de la campagne et elle a l'habitude de dire ce qu'elle pense, avec un bon sens qui réjouit et parfois étonne Margot.

Tous les matins, elle attend son arrivée pour reprendre une tasse de café auprès d'elle, sur la table de la cuisine, tandis que Mme Vauban attaque la vaisselle de la veille. Margot bavarde, raconte les menus incidents du soir, fait tout haut des projets pour la journée et se sent comprise.

Quand elle y réfléchit, elle se dit que cela vient de ce que Mme Vauban, qui n'a jamais voyagé ni fait d'études, s'appuie sur ce qu'elle ressent. Or, ce qu'un être humain ressent ne trompe pas.

Mais, ce matin, la perspicacité de Mme Vauban ne lui fait pas véritablement plaisir.

— J'entends M. Pomerel qui marche déjà, dit-elle en levant les yeux vers le plafond, je vais lui monter son thé. C'est plus tôt que d'habitude, mais le pauvre homme doit s'énerver... Je parie qu'il va se mettre sur son trente et un dès le matin...

C'est probable, et Margot prend la tasse de thé des mains de Mme Vauban : « Je vais le lui porter, ne vous en faites pas. »

Son père est déjà en train de se raser.

— N'est-il pas un peu tôt pour te lever, papa ?

— Il fait beau, autant en profiter.

Margot attaque tout de suite :

— Tu sais, elles n'arriveront pas avant la fin de l'après-midi...

M. Pomerel se retourne, l'œil vif, son rasoir à la main :

— Tu leur as téléphoné ?

— Non, mais je le présume.

— Écoute, j'ai calculé, il y a sept cents kilomètres. En admettant qu'elles « décalent » à neuf heures du matin, et même à dix heures, ce qui est tout à fait possible, elles peuvent être là vers cinq heures. Et je compte large.

— D'ici cinq heures, tu as bien le temps de te préparer !

M. Pomerel ne répond pas, mais lui lance un regard aigu : Margot, il la connaît, depuis six heures qu'elle est levée, n'a pas cessé de s'agiter. Alors, pourquoi pas lui ?

A ce moment, le téléphone sonne.

Margot se précipite pour décrocher l'appareil posé sur la table de nuit de son père, tandis que lui-même s'approche.

— Allô !... C'est toi, ma chérie ?

M. Pomerel sourit à demi, penchant la tête pour tendre sa meilleure oreille du côté du téléphone.

— Vous n'êtes pas encore partis ? Ah... Ah... Bien sûr, je comprends... Non, non, je t'assure, je comprends tout à fait... Eh bien, ça ne fait rien... Demain, c'est ça ! Mais bien sûr... Je t'embrasse, je vous embrasse tous. Grand-père aussi vous embrasse.

Margot raccroche ; en parlant, elle s'est assise sur le bord du lit de son père.

— Que se passe-t-il ? demande M. Pomerel avec calme. Un accident ?

Margot se dit que l'une des grandes qualités de son père, c'est d'être aussitôt de sang-froid quand les circonstances le demandent.

— Non, non, papa, rassure-toi ; seulement, elles ne sont pas parties.

— Ah, et pourquoi ça ?

— Thierry a pu quitter Paris plus tôt et il les a rejointes là-bas au lieu de se rendre directement ici. Ils allaient se mettre en route, mais sa mère a eu besoin de lui pour un rendez-vous chez le notaire...

— Elle ne pouvait pas y penser avant ?

— Il paraît que le notaire a reporté exprès le rendez-vous de la veille. Ils ne pourront s'en aller qu'après déjeuner.

— Et alors, ça ne les empêche pas d'arriver tous ensemble ce soir, tu sortiras le lit-cage pour Mélissa.

— Caroline m'a dit qu'à cause des enfants, ils préféraient coucher en route.

— Ah !

Le mot « préfère » les pénètre tous les deux comme une lame.

Margot se dépêche d'ajouter :

— Mais ils seront là pour déjeuner demain.

— Bien, dit M. Pomerel.

Il retourne à son lavabo et Margot ne veut pas penser qu'il marche plus lentement que tout à l'heure. Elle-même se sent lourde, sur le bord du lit, et doit faire effort pour se lever.

— Eh bien, je vais aller prévenir Mme Vauban qu'il est inutile de mettre déjà les haricots à cuire, demain suffira.

Mme Vauban a dû pressentir quelque chose, car au lieu de l'accueillir en disant : « Alors ? », elle demeure discrètement le dos tourné, à fourrager dans l'évier.

— Caroline vient d'appeler, Madame Vauban, ils n'arriveront que demain pour déjeuner. Il y a eu de l'imprévu, ils ne pourront pas être là ce soir.

— Alors, les enfants ne vont pas coucher ici ? dit Mme Vauban, qui a le courage de crever l'abcès la première.

— Non, fait Margot.

CHAPITRE II

Margot a enveloppé le poisson dans un torchon — pas de plastique, s'insurge toujours Mme Patarin, et pas de congélateur ! —, décommandé les tartes pour les remettre au lendemain, rangé les fromages dans le tiroir le moins froid du frigidaire.

Elle n'a pas voulu que Mme Vauban défasse tout de suite les lits, pour le cas où les enfants auraient envie de faire la sieste après déjeuner... Et puis, c'est si joli, ces lits faits, avec les oreillers aux taies fleuries posés sur les couvertures ! Les petits livres d'enfants, achetés de la part de M. Pomerel, sont sur les tables de nuit, il y a des savons en forme d'animaux près des vieux lavabos dissimulés derrière un paravent, dans le coin de chaque chambre.

Margot a aussi pensé au produit anti-moustiques ; il n'y en a pas beaucoup, mais les moustiques sont comme tout le monde : ils adorent les chairs d'enfants.

Tous deux déjeunent des restes de la veille et d'un melon, puis Margot propose une promenade en voiture. Elle sait que son père a besoin d'être distrait, elle aussi d'ailleurs. D'autant qu'il n'y a plus rien à faire à la maison, tout est prêt, archiprêt, et le téléphone ne sonnera pas. Si c'est le cas, elle n'éprouve pas le besoin d'être là pour l'entendre ; une fois suffit.

Après une brève sieste dans son grand fauteuil, M. Pomerel, joliment vêtu d'un pantalon clair et d'une chemise à carreaux écossais, le col ouvert sur sa veste de popeline mastic, ouvre les yeux et lui dit sans bouger :

— Je suis à tes ordres.

— Allons-y, papa, lui répond Margot en reposant sa revue.

A l'heure où le soleil s'incline et où la lumière commence à blondir, puis à rosir, M. Pomerel et Margot prennent souvent la voiture pour vagabonder le long de n'importe laquelle des petites routes qui enserrent d'un réseau étroit ce pays de vignes et de ruisseaux.

Ils finissent toujours par s'arrêter au bord de la Charente. Aujourd'hui, c'est à Port-d'Envaux, où il suffit de descendre une courte ruelle bordée de maisons basses et de roses trémières pour se retrouver sur la berge.

D'un commun accord, le père et la fille sortent de la voiture et vont s'installer au café-restaurant, sous un parasol, à la table la plus proche du fleuve. Rien n'est plus apaisant que de voir couler l'eau tranquille d'une belle rivière.

Au bout d'un moment, c'est d'une voix qui a repris du tonus que M. Pomerel déclare : « Pour une fois, je prendrais bien un pastis ! »

D'habitude, Margot s'insurge, elle tient à la santé de son père et pense que l'alcool fort lui est nuisible, mais là, elle ne proteste pas et se commande elle-même un pineau, spécialité charentaise faite pour une part de vin non fermenté, de l'autre de cognac.

L'alcool va les aider à dégeler la partie d'eux-mêmes qui résiste à la douceur ambiante.

— Autrefois, avec ta mère, nous venions là presque tous les soirs, confie soudain M. Pomerel. Surtout lorsqu'il avait fait chaud dans la journée. Ta mère disait : « La Charente, en été, c'est un bol de fraîcheur ! »

— Pourquoi dis-tu toujours « ta mère » et jamais « ma femme » ?

— Parce qu'elle est ta mère !

— Je sais bien, mais elle est aussi ta femme... Quand je te parle de Pierre, je ne dis pas « ton gendre ». Je dis « mon mari ». Enfin, quand il l'était... Tu pourrais même appeler maman par son prénom, Amélie. C'est si joli et tu ne le dis plus jamais...

— En fait, elle s'appelait Marguerite, comme toi. Mais c'était le prénom de sa propre mère et pour ne pas risquer de confusion, on lui a donné le second, Amélie.

— C'était le prénom de qui, Amélie ?

— Je ne sais pas.

— Tu ne le lui as pas demandé ?

— Je n'y ai pas pensé.

Toutes ces questions qu'on n'a pas posées quand il en était encore temps... Maintenant, la brume du silence recouvre peu à peu les souvenirs, comme celle qui monte de la prairie, et, tout à l'heure, rendra les arbres et les bosquets fantomatiques.

— Où avez-vous passé votre voyage de noces, maman et toi ?

— Mais en Italie...

— Pourquoi dis-tu « mais » ?

— Parce que tout le monde le faisait, à l'époque, et parce que je croyais que tu le savais...

— Je n'y étais pas !

— Eh bien, si, justement, tu y étais !

— Moi ?

M. Pomerel sourit de toutes ses dents, ce qui est rare chez lui.

— Je peux bien te le dire, maintenant, tu es assez grande : quand nous nous sommes mariés, Amélie et moi, nous t'attendions !

Margot demeure figée. Ça alors ! Quand son père a dit : « Tu es bien assez grande... », elle a commencé par sourire intérieurement et penser : « Tu ne me vois pas vieillir, mon cher papa », mais, devant cette révélation sur sa naissance, elle redevient une petite fille. Stupéfaite. Secouée.

Ses parents ont donc couché ensemble avant leur mariage ?

Eh bien oui, et pourquoi pas ? Elle ne va pas avoir pour eux des préjugés qu'elle n'a pas eus pour elle-même ?... Seulement, ils se sont peut-être mariés uniquement pour ça, parce que sa mère était enceinte, en somme pour « réparer » ?

Et ça, c'est un choc.

— Papa, pourquoi as-tu épousé maman ?

— Mais parce que je l'aimais, imagine-toi.

— Alors, pourquoi as-tu attendu qu'elle soit enceinte ?

— A cause de mon père, il voulait que je termine mes études avant de me mettre en ménage, et c'était long. Tu sais, à l'époque, dans la voie que j'avais choisie, il y avait toutes sortes de concours à passer, d'autant que j'avais été retardé par la guerre... Et puis, ta mère s'est retrouvée enceinte, et il a bien fallu hâter les choses. Mon père l'a compris et tout s'est très bien passé.

A nouveau, M. Pomerel a dit « ta mère », et cette fois Margot comprend pourquoi : il n'a pas épousé une femme, mais une mère, puisque la mariée était enceinte !

Tout a un sens dans ce qu'on dit, même si on ne le connaît pas toujours, ou, plus exactement, si on ne le cherche pas. Ainsi, pourquoi n'a-t-elle pas posé toutes ces questions à sa mère ?

A vrai dire, elle ne pensait qu'à elle-même, à ses amours, à Pierre, à sa fille.

C'était d'assez gros morceaux pour l'occuper entièrement. Le couple que formaient son père et sa mère était posé derrière elle, comme une évidence. A ses yeux, ils avaient toujours été là, s'aimant ou se chamaillant, n'ayant eu qu'une fonction dans la vie : la mettre au monde...

Quel égoïsme de sa part !

Mais peut-être Caroline pense-t-elle la même chose ? Ou l'a-t-elle pensé, avant leur divorce ?

Soudain, Margot se dit que ça doit être abominable de voir ses parents se séparer, puisque cela vous ôte toute certitude sur votre propre existence. Si vos parents peuvent se quitter, n'est-ce pas la preuve qu'on n'est pas pour eux ce qu'il y a de plus important au monde ?

Pensant à sa fille, Margot a soudain le cœur qui se serre : pauvre petite Caroline ! Elle a pourtant fait tout ce qu'elle a pu pour lui expliquer que ce divorce ne changeait rien à leurs rapports mère/fille, pas plus qu'à ceux de Caroline avec son père. N'avait-elle pas entendu dire par des psychologues de renom que c'était ce qu'il fallait faire ?

— Cette séparation ne te concerne pas, ma chérie, ce sont seulement les affaires de papa et maman qui, tous les deux, t'aiment toujours tout autant...

Caroline hochait la tête en serrant plus fort sa poupée, elle avait l'air de comprendre, d'acquiescer.

Comme elle a dû souffrir !

Margot voudrait lui téléphoner sur-le-champ pour lui dire qu'elle la comprend enfin ! Mais elle ne sait même pas où est Caroline. Sur la route ? Déjà arrivée dans un motel ?

Elles sont éloignées, maintenant ; c'est quand elles étaient si proches qu'elle aurait dû lui dire, lui raconter. Il lui semble pourtant qu'elle l'a fait.

Quand elle avait un nouvel amant qui menaçait de se révéler durable, Margot s'empressait de l'« expliquer » à Caroline : « Jean-Maurice m'aime, je l'aime, et il va vivre avec nous... Ne t'inquiète pas, il ne prend pas la place de ton père. Seulement, comme il t'aime aussi, nous serons deux pour nous occuper de toi. Tu ne crois pas que c'est mieux d'avoir un homme à la maison ? »

Caroline, là aussi, hochait la tête. Elle a toujours été charmante avec les amants de sa mère.

Au troisième, Margot a cessé le petit discours : elle s'est dit que Caroline devait savoir d'emblée que ces hommes ne remplaceraient pas son père.

Et puis il n'y a plus eu d'amants du tout. En fait, cela s'est passé au moment même où Caroline l'a quittée pour se marier. Ce qui fait qu'elles n'ont pratiquement jamais été seules ensemble. Il y a toujours eu un homme entre elles... Maintenant, Thierry.

Ça n'est peut-être pas plus mal. Faire couple avec sa fille n'est sûrement pas très sain.

Elle-même n'a jamais été seule avec sa mère, il y avait son père. Sauf pendant ces trois mois troublants où M. Pomerel a fait une fugue. A l'époque, on lui a dit que son père était en voyage ; en fait, on ne lui a rien dit du tout, parce que sa mère s'est rapidement alitée, malade de la maladie qui allait l'emporter, et l'angoisse de M. Pomerel, à son retour, s'en est trouvée justifiée.

Toutefois, Margot se rappelle que tout au début de leur solitude à deux, Mme Pomerel a commencé une phrase qu'elle n'a pas terminée, tellement elle s'est mise à pleurer fort dans son petit mouchoir parfumé.

— Ton père nous a quittées, et je crois que...

Hoquets, sanglots.

Margot a senti une chape de plomb lui tomber sur les épaules. Plus tard, elle s'est dit que sa mère avait seulement l'intention de lui annoncer que M. Pomerel était parti pour un voyage un peu long. Si elle était si triste, c'est qu'elle n'était pas habituée aux absences de son mari, celle-là étant d'ailleurs la première.

Les yeux perdus dans les eaux du fleuve, réconfortée par le pineau, Margot se demande maintenant ce que sa mère s'apprêtait à lui dire, ce jour-là.

Elle ne le saura jamais, à moins que son père... Elle glisse un regard vers lui ; son visage s'est apaisé sous son chapeau de paille de riz, et elle n'a pas envie de le troubler en lui demandant où il était parti, et avec qui, il y a plus de quarante ans, pendant ces trois mois fatals.

Cela lui ferait peut-être du bien d'en parler ?

Ou un mal terrible.

Ce sera pour une autre fois, se dit Margot ; aujourd'hui, tous deux ont assez de problèmes comme ça.

— Ta pauvre mère, dit soudain M. Pomerel, il fallait toujours que je sois avec elle. Tu ne peux pas savoir comme elle s'inquiétait facilement... Dès que je n'étais plus là, elle me croyait perdu...

Il songe donc à la même chose qu'elle ?

— C'est peut-être elle qui se sentait perdue ?

— C'est vrai ; sans moi, Amélie était perdue.

La nuit s'avance. M. Pomerel, les deux mains sur le pommeau de sa canne, se tourne vers sa fille.

— Toi, au moins, tu es bien de ta génération, tu sais vivre seule. Tu es une forte femme.

Margot, une forte femme ?

CHAPITRE III

— Enfin, papa, ne te lève pas comme ça à chaque coup de sonnette ! Mme Vauban et moi pouvons y aller... C'est le facteur, il m'apporte un paquet que j'avais commandé.

Depuis midi, M. Pomerel, fin prêt, installé sous la véranda, bout d'une impatience mal contenue. Tout lui est prétexte à se précipiter sans sa canne vers la porte d'entrée, au risque de se rompre le cou sur les carreaux disjoints du couloir.

Il se trouve qu'il y a eu beaucoup de coups de sonnette, en cette fin de matinée. Le commis du pâtissier, bien sûr, avec les tartes, mais aussi le vendeur de tapis, les gitans et leurs paniers, quelqu'un qui demandait un renseignement, le voisin qui ne retrouvait plus sa poubelle et venait voir si on ne l'avait pas... Maintenant, c'est le facteur préposé aux plis urgents.

Chaque fois, Margot, Mme Vauban et M. Pomerel se dirigent en même temps vers la grande porte, chacun surgissant d'un lieu différent, et ce qui exaspère — ou blesse — Margot, c'est la lueur de joie et d'excitation qu'elle discerne dans l'œil de son père, même dans l'obscurité de l'entrée.

Après tout, où est le mal s'il est heureux ?

En réalité, ce qui la fait souffrir, c'est qu'à l'intensité du bonheur qu'éprouve le vieil homme à la seule idée de l'arrivée des enfants, Margot peut mesurer sa peine secrète quand il ne les voit pas.

Peut-être les attend-il tout le temps ?

— Reste dans ton fauteuil, papa, je te préviendrai quand ce sera eux !

La pendule sonne une heure, puis, sans pitié, récidive.

Caroline et Thierry ne peuvent pas savoir qu'ici on mange à midi et que treize heures, pour M. Pomerel, c'est tard, très tard.

A une heure et quart, Margot a même le sentiment qu'il défaille un peu.

— Tu ne veux pas que je t'apporte quelques gougères ? Mme Vauban en a préparé en hors-d'œuvre...

M. Pomerel secoue la tête : il a faim, bien sûr, l'hypoglycémie le menace, mais l'inquiétude, l'émotion lui tordent l'estomac, ce qui fait qu'il est incapable de rien avaler.

Tant que les enfants ne seront pas là.

Une voiture freine, se range le long de la maison et là, à nouveau, rien à faire, M. Pomerel se lève lourdement et boitille jusqu'au couloir.

— Ça n'est pas eux ! crie aussitôt Margot qui commence franchement à en vouloir à la terre entière.

Elle-même s'est mise à guetter d'une façon excessive les moindres bruits de moteur. Elle aussi doit être en manque. Réveillée à l'aube, elle s'est levée aussitôt. Comme le repas était prévu dans les moindres détails, elle a longuement fait sa propre toilette, puis recommencé celle de la maison.

Une vieille maison où plusieurs générations se sont succédé est pleine de strates, de recoins, d'accumulations d'objets utiles, et d'autres qui ne sont plus que des souvenirs. Sans compter ses dernières acquisitions : un vase moulé, parce qu'il était vert tendre, un autre parce qu'il était jaune et que leur association, sur le petit guéridon — nouveau lui aussi —, est un fragile chef-d'œuvre de poésie.

Il y a aussi la pendulette — comme s'il n'y avait pas assez d'horloges dans la maison ! — à laquelle elle n'a pu résister à cause des pierres dures enchâssées dans son socle. M. Herbert, l'horloger, a eu toutes les peines du monde à la remettre en état, mais elle marche dans un bruyant tic-tac et exige d'être remontée... tous les jours !

Cette vie des objets émeut Margot. Elle a demandé à son père de lui raconter l'origine des meubles et des bibelots, dans la mesure où il s'en souvient — mais sa mémoire du lointain passé est surprenante —, et elle a commencé de la consigner dans un cahier, pour Caroline et les enfants.

Sinon, plus tard, personne ne saura plus que le surtout de table en porcelaine céladon est le cadeau de mariage des arrière-grands-parents, et que la vieille dame peinte dans un fauteuil, une toile qu'elle vient de faire réencadrer, représente Hermeline, l'arrière-grand-mère. En y regardant bien, on reconnaît l'une des chaises en cuir repoussé de la salle à manger.

Est-ce si important ? Margot pense que oui.

Il lui semble qu'en préservant ce qui reste de ceux qui les ont précédés, elle leur rend hommage et que leurs mânes, apaisés, les protègent à leur tour.

C'est pour ça qu'elle ne s'inquiète pas outre mesure du retard des enfants : ils sont sous la garde de ceux qui ont vécu dans la vieille maison et qui continuent de vivre à travers les vivants qui pensent à eux.

Mme Vauban, restée pour le service, a trouvé le moyen de s'activer alors qu'il n'y a plus rien à faire à la cuisine : elle nettoie les cuivres !

— Enfin, Madame Vauban, asseyez-vous ! Cela va faire des heures que vous êtes debout, je ne sais pas comment vous faites... Venez, nous allons prendre un petit verre, tous les trois !

— Si je m'assois, je ne me relèverai plus !

En fait, ils auraient l'air de quoi, tous les trois, dans la véranda, à siroter un peu de pineau en attendant les enfants ?

Ils auraient l'air bêtes... Et leur anxiété ne cesserait de croître.

Mme Vauban l'a compris avant elle et préfère s'occuper à autre chose. Margot se dirige vers le bureau de M. Pomerel pour aller lui chercher son journal qu'il n'a pas décacheté, et, en traversant la salle à manger, elle s'aperçoit qu'on n'a pas mis de coussins supplémentaires sur la chaise de Mélissa, et aussi qu'il manque le sel, condiment que M. Pomerel rajoute à tous les plats ; elle va pour y parer quand la sonnette retentit frénétiquement.

Cette fois, aucun doute, c'est eux !

— Les voilà ! crie-t-elle en direction de son père, tout en courant ouvrir la porte.

— Ce qu'on a chaud ! s'exclame Caroline.

Sobrement vêtue d'une jupe et d'un chemisier de bleus différents, elle est hâlée, luisante de sueur, ce qui ajoute à sa beauté brune. Entourée des trois petites filles, le gros chien briard en laisse, elle a l'air d'une fleur au milieu d'un bouquet.

Oui, c'est l'image un peu convenue qui vient tout de suite à l'esprit de Margot : Caroline est ceinte d'enfance, de mouvement, de beauté, et tout cela pénètre d'un coup avec elle dans la vieille maison !

Qui s'illumine, comme son cœur à elle, Margot.

— Bonjour, mes chéries, dit-elle en embrassant l'une après l'autre les petites qui, surprises peut-être par l'obscurité des lieux, n'osent avancer.

— Thierry range la voiture. Nous nous sommes garés dans la rue derrière.

C'est pour ça qu'elle n'a pas entendu le moteur.

— Attention, je lâche le chien, il meurt de soif.

M. Pomerel est au bout du couloir, redressé comme autrefois, quand il était toujours le plus grand de tous, souriant largement, la voix forte et sans canne.

— Mais les voilà ! Bonjour, bonjour... Alors, vous avez fait bon voyage ?

« Oui », disent ensemble les petites filles, les deux aînées se précipitant vers lui, la troisième suivant le mouvement. « C'est drôle, pense Margot, comme les petits enfants n'ont pas peur des vieilles gens. Pourtant, papa, surtout dans cette ombre, est impressionnant. »

Mais non, elles l'entourent, puis le dépassent pour aller vers la lumière, le jardin ; il les suit, réjoui, curieux d'elles et de leurs réactions.

Caroline est déjà dans la cuisine avec le chien :

— Il a soif, il n'a pas voulu boire pendant le trajet, mais il tirait une de ces langues...

Mme Vauban sort un grand bol et Margot remarque que Caroline s'occupe d'abord du chien. Puis elle se dit que c'est en cela que sa fille est maternelle : elle s'occupe avant tout de l'être qui a le plus besoin d'elle. En ce moment, c'est le chien, plus encore que Mélissa. Quand elle a un nouveau-né, il n'y en a plus que pour lui.

Soudain, Thierry est là ; Margot avait laissé exprès la porte ouverte : il s'est débrouillé — pudeur, gêne délicatesse, léger agacement contre la belle-famille — pour arriver après les autres.

Margot va vers lui et l'embrasse d'autant plus chaleureusement. C'est difficile, elle le pressent, d'être un gendre, il faut que Thierry se sente aimé, voulu pour lui-même, et pas seulement parce qu'il est le père et le mari !

— Et si on passait à table ? dit M. Pomerel, les salutations faites.

— Papa a besoin de manger, souffle Margot à Caroline ; pour lui, il est tard.

— Il y avait une circulation terrible, lance Caroline en manière d'excuse et très haut pour que M. Pomerel entende.

En un instant, tout le monde est assis en cercle autour de la table de la salle à manger à laquelle Mme Vauban a ajouté les rallonges, et Margot demeure debout devant sa chaise pour servir.

Comme elle avait prévu du retard, tout est froid mais délicieux. Les langoustines, pour débuter, sont énormes, de première fraîcheur, et il y a aussi du thon aux œufs et aux tomates pour les enfants.

C'est curieux comme les enfants sont conformistes dans leurs goûts culinaires : steacks-frites, poulet-purée, thon aux œufs... On dirait qu'ils sont d'avance programmés pour aimer la nourriture la plus commune avant même de l'avoir goûtée !

M. Pomerel sert le vin, s'enquiert des besoins de chacun, joue les paterfamilias, rôle qu'il adore et remplit à merveille. Margot se dit qu'elle lui aura au moins offert ça : pouvoir, sur la fin de sa vie, se retrouver entouré d'enfants et de petits-enfants. Pas assez peut-être, mais un plus grand nombre le fatiguerait. Évidemment, il n'y a pas de garçons. Il aurait aimé un fils, ou un petit-fils, ou un arrière-petit-fils ; le destin ne l'a pas voulu...

Mais il est peut-être bon, pense Margot, qu'on commence à apprécier les femmes pour ce qu'elles sont : les égales des hommes. Qui sait si l'un de ces bouts de chou ne fera pas Polytechnique ? Ça n'en sera que plus glorifiant pour toute la famille...

« Non, je ne veux pas d'eau, je veux du jus de fruit... — Avec le thon ? — Oui... »

Commence le dialogue que Margot connaît bien, où chacune discute, ergote, réclame, veut ceci et autre chose, et en particulier ce qu'elle voit dans l'assiette de sa sœur. Cela fait partie du jeu, et tout en tâchant d'y participer, Margot écoute la conversation.

En fait, Caroline et Thierry rient, racontent, se contredisent, s'interrompent l'un l'autre et Margot, qui s'apprêtait à poser des questions, s'aperçoit que ça n'est pas nécessaire. Ni même souhaité. Les jeunes gens, tout en satisfaisant leur appétit, occupent la scène sans qu'il soit besoin de les y pousser.

On parle des petites, du chien, beaucoup du chien qui, installé sous la table, se retrouve tour à tour sur les pieds de chacun ; du temps, bien sûr, de celui qu'il a fait à Paris, dans le Midi, qu'il fait ici ; de ce qui leur manque pour leur installation d'été, de ce dont ils ont besoin ou pas besoin.

Pas un instant ils ne posent de questions ni à M. Pomerel ni à elle. Comme si eux n'avaient pas de projets. Ni de vie. Ou plutôt comme si leur vie à eux, les vieux, était transparente, fantomatique, déjà jouée.

Peut-être était-elle ainsi quand elle avait leur âge et qu'elle allait aux déjeuners ou aux dîners de famille en compagnie de Pierre ?

Ce qu'ils ricanaient, après, en poussant un soupir de soulagement ! Enfin sortis de là... De cette odeur de poussière, de ce rabâchage ! Est-ce ainsi que les perçoivent les enfants, désormais, comme des radoteurs ?

Là, M. Pomerel et elle ne disent rien. Ils font la même chose : ils ont l'œil. Au vin qui manque dans un verre, à une assiette vide. M. Pomerel sonne Mme Vauban : « La sauce pour la salade, s'il vous plaît ! »

Elle n'était pas servie, il s'en est aperçu.

Déjà les enfants se sont levées de table et courent au jardin. Elles reviennent au galop et se dirigent droit vers M. Pomerel pour lui poser des questions : sur le petit bassin où vivent des têtards, et la chose, là-bas, on dirait une tortue ? Eh bien oui, justement, c'en est une...

Complicité innée, délicieuse, entre les enfants et les grands-parents... A elle, on réclame du papier à dessin et elle monte au deuxième étage pour en chercher, ramène aussi des feutres. Les aînées s'installent par terre, dans le bureau de M. Pomerel, et se mettent à griffonner.

Margot a le sentiment que les petites filles cherchent à avaler d'un seul coup tout ce qui peut se consommer ! Aller jusqu'au bout de ce qui est permis !

Elles doivent percevoir non seulement l'amour, elles y sont accoutumées, mais aussi la joie, la surprise, l'immense bonheur que leur seule existence constitue.

Oui, comme elle-même à leur âge, elles doivent se dire que le monde a été créé pour qu'elles y apparaissent — et, en l'occurrence, c'est vrai. Rien n'est plus précieux, pour eux tous, que ces trois enfants. Elles sont leur propre aboutissement.

En même temps, Margot sent bien qu'elles ne sont pas « suffisantes ».

Rien n'est suffisant.

Est-ce à cause du temps qui passe et emporte tout ? Déjà c'est l'heure du dessert, les enfants reviennent à table, tout le monde s'exclame à la vue des tartes, déguste, en reprend.

Moins les enfants qui, affectées par le déplacement, n'ont plus envie de manger.

Son « trou » d'avant le déjeuner comblé, M. Pomerel, rosi et réjoui, offre à son petit-fils par alliance — qu'il s'obstine à appeler son gendre — une gâterie « virile » : « Voulez-vous un petit verre de cognac, mon cher ? »

Mais Thierry refuse : il conduit.

C'est le moment qu'il choisit pour regarder sa montre :

— N'oublie pas, Caroline, que nous avons encore du trajet à faire. Nous ne sommes pas arrivés, ici ça n'est qu'une étape !

Le mot cueille Margot à l'estomac ! C'est donc cela que son père et elle représentent pour les enfants, une « étape » ?

Ils viennent juste d'arriver, elle n'a même pas eu le temps de montrer à Caroline les changements, les embellissements...

Pas eu le temps, à bien y réfléchir, de l'embêter avec le passé !

Tout à coup, elle comprend : ils sont jeunes, ils vont vers la mer. Ils ne sont pas là pour se charger de la vie, des soucis ni même des joies de ceux qui les ont précédés. Ils n'en ont rien à faire.

Machinalement, elle s'empare de son appareil photo qu'elle avait préparé, Thierry saisit le sien : ils prennent ensemble quelques clichés, cela au moins restera. L'une des filles veut faire pipi, puis les autres ; Margot les emmène toutes à l'étage avec leur mère.

— Tu es sûre que les enfants ne veulent pas faire la sieste ?

Du palier, elle jette un coup d'œil vers les jolies chambres si bien fleuries, et s'aperçoit que le regard de Caroline ne suit pas le sien, l'arrangement de la vieille maison l'indiffère.

— Tu sais, maman, on a envie d'être installés, elles se reposeront là-bas.

Chacun chez soi.

Margot les aide à rassembler leurs affaires disséminées ; au dernier moment, elle glisse dans la voiture un sac en plastique avec quelques aliments d'appoint : tranches de jambon, pain, fruits, saucisson.

— Pour le cas où vous n'auriez rien à manger, ce soir.

— T'en fais pas, lui dit Caroline sans la remercier, nous irons au restaurant. Moi, la cuisine dès l'arrivée, merci, non ! Thierry peut bien nous payer ça !

C'est entre eux deux que ça se passe, pas avec elle.

Au moment du départ, M. Pomerel sort de sa poche le petit paquet qui contient le bracelet rouge. Caroline a un éclat de plaisir, d'excitation, elle l'accroche à son bras où il fait merveille, et va le montrer à son mari :

— Regarde comme c'est joli !

— Très joli. Dis donc, je préférerais que tu mettes ta mallette à l'arrière, elle me gêne pour conduire.

Ils sont dans leur mouvement vers l'avant.

Margot les aide même à s'en aller plus vite, car c'est fatigant d'être dans la rue, sous ce soleil, elle le perçoit au visage de son père, qui se creuse. Elle veille à la circulation pour qu'ils quittent plus facilement le parking.

Caroline lui crie par la portière :

— Vous viendrez nous voir !

— Oui, dit Margot.

M. Pomerel agite sa main, puis sa canne.

Le soleil est éblouissant. Tous deux rentrent à pas lents. Mme Vauban a déjà desservi, elle achève de tout ranger dans le frigidaire, et comme elle a fait la vaisselle à mesure, aucun reste ne traîne.

Margot cherche quelque chose à dire et ne trouve rien. Il lui semble que toute parole serait trop lourde de sens.

C'est M. Pomerel qui, le premier, rompt le silence.

— Tu sais de quoi j'ai envie ?

A ce moment précis, trouver le moyen d'exprimer un désir relève du génie ! C'est parce que son père a cet art de relancer la vie qu'il a toujours si bien vécu et qu'il vit si longtemps, se dit Margot. C'est de lui, non des jeunes, qu'elle a des leçons à prendre.

— Quand la chaleur sera tombée, continue le vieil homme en se dirigeant vers son fauteuil avec l'intention manifeste d'y faire la sieste, j'aimerais qu'on aille tous deux dîner au bord de la Charente, ça nous rafraîchira.

Pas un mot sur le passage éclair des enfants.

Pas une aigreur.

Pas une plainte.

Il serre seulement un peu fort le bras de sa fille. Margot comprend que c'est à elle et non à lui qu'il pense en ce moment, à elle, la mère « traversée » par ses enfants.

« Comme par une nouvelle grossesse ! Et qu'est-on d'autre, pour l'enfant à naître, qu'une sorte de toboggan vers la vie, un lieu de passage ? »

Grâce à son père, sa lucidité reprend le dessus, son humour aussi.

Sans lui, elle serait peut-être là à se mordre les poings : les enfants, montre en main, sont restés deux heures à peine ! Et cela fait des semaines qu'on les attend...

A bien y penser, c'est plutôt comique.

Margot a envie de le raconter à quelqu'un.

Pendant que son père dort, elle va téléphoner à Pierre.

CHAPITRE IV

Margot a du mal à se lever, le matin suivant. Elle n'en a pas vraiment envie et ça n'a rien d'urgent : avec les restes, ils ont de quoi se nourrir pendant deux jours, son père et elle.

A vrai dire, elle n'a plus de projets.

Elle avait oublié qu'il y aurait un « après », une fois les enfants passés, et qu'il fallait le préparer.

Les yeux au plafond, elle se dit qu'elle devrait se décider à changer la vieille tapisserie du mur. Le papier se décolle par endroits et son jaune et bleu est complètement fané.

Qui a choisi ce dessin autrefois, sa mère ? sa grand-mère ? La tapisserie à peine posée, toute la famille a dû se réunir pour l'admirer, chacun y allant de son appréciation ! Margot imagine les cris, les exclamations, sans compter le grommellement étouffé de la vieille Honorine... Les domestiques n'aiment pas le changement, cela leur donne un supplément de travail pour s'y adapter.

M. Pomerel non plus n'aime pas le changement. Dès que Margot déplace un meuble, il fronce le sourcil. Depuis le temps, son cheminement dans la maison se fait en fonction d'une certaine disposition du mobilier : il n'a plus à calculer son itinéraire entre le divan, la table basse et son bureau, il le connaît par cœur. Mais si ses « affaires », comme il dit, sont bougées, il doit repenser son parcours. Ça le fatigue.

— Suis-je en train de devenir comme lui ? se demande Margot qui s'assoit sur le bord du lit, puis se dirige vers la salle de bains et le lavabo. Suis-je devenue incapable d'innover ?

Elle boit un grand verre de l'eau du robinet afin de mettre son organisme en train, lance un regard par la fenêtre. Elle a pris l'habitude de ne plus fermer les volets, lassée par ces gestes fastidieux à refaire soir et matin ; et c'est si bon d'être réveillée par le jour.

Quand elle a joint Pierre au téléphone, la veille au soir, elle l'a trouvé bizarre, froid.

Il ne s'attendait pas à l'avoir au bout du fil à une heure si tardive. Pour rien, juste pour lui dire que les enfants devaient être arrivés à Salins-les-Bains, et que tout allait bien !

— Ah oui, a-t-il dit. Eh bien, tant mieux.

Il ne s'inquiétait pas, puisqu'il ne savait pas qu'ils faisaient de la route, et il n'éprouvait pas la nécessité d'être rassuré.

C'est elle, Margot, qui avait besoin de l'être ; or, son coup de téléphone a abouti à l'effet inverse : l'indifférence de Pierre lui a donné de l'angoisse.

On aurait dit qu'elle le dérangeait...

En été, les hommes contraints de demeurer à Paris pour leur travail ont toutes sortes d'occasions et en profitent.

Mais en quoi cela la concerne-t-il, puisque Pierre et elle sont divorcés ?

Reste qu'ils ont gardé une complicité au sujet de Caroline et de ses enfants, et Margot y tient. Les enfants, c'est leur dernier lien, leur unique sujet de conversation. Ils se rencontrent de temps à autre pour parler de leur fille et du souci qu'ils se font pour elle et les petites, se rassurer à tour de rôle.

— Ne t'en fais pas, lui a dit Margot la dernière fois

qu'ils se sont vus, dans ce bar de la rue Marbeuf. Elle est très heureuse avec Thierry !

— Mais quand je les ai emmenés au restaurant, ce type n'a rien trouvé de mieux que d'arriver en retard ! Retenu par son boulot, a-t-il dit, comme si moi je ne travaillais pas. Et ils se sont disputés sans arrêt !

— C'est leur façon de s'aimer ; en fait, ils s'adorent.

— Je ne comprends pas qu'on s'engueule pour se prouver qu'on s'aime. Je dois être vieux jeu.

Margot a souri : eux aussi, jeunes mariés, se chamaillaient sans arrêt ! C'est à la fin, quand ils ont commencé à s'éloigner l'un de l'autre, qu'ils ont cessé de se lancer des piques, comme s'ils ne s'intéressaient plus.

Elle l'a trouvé beau, cette dernière fois. Avec ces deux rides qui se creusent de part et d'autre de son nez, et ses tempes qui grisonnent sérieusement.

S'en rend-il compte ?

Les hommes ont toujours l'air de ne pas s'apercevoir qu'ils vieillissent — contrairement aux femmes, trahies par leurs manœuvres de dissimulation ! En fait, ils en sont malades.

Le drame des hommes, c'est le rasage : ça les oblige chaque matin à une séance d'observation rapprochée devant le miroir. Il faut les voir s'examiner dans leur glace au réveil. Rien ne leur échappe, ni un poil blanc, ni une ridule.

Les femmes, quand elles se sentent ternes, évitent de contempler leur reflet de trop près, elles démêlent leurs cheveux à l'aveuglette et peuvent se poudrer et se rougir les lèvres sans l'aide du miroir.

Margot pose ses deux mains sur son visage et se tire la peau vers les tempes. C'est impressionnant, ces yeux remontés à l'oblique, la bouche devenue cruelle. C'est beau comme un masque asiatique, inhumain aussi. Elle lâche et l'épiderme retombe dans ses plis, ce qui fait moins jeune, mais plus avenant.

Elle n'aurait pas dû appeler Pierre, la veille, du moins pas comme ça, à chaud. Surtout, ne l'ayant pas trouvé avant le dîner, elle n'aurait pas dû insister.

Deux personnes qui ne sont plus intimes ne doivent pas se téléphoner passé vingt heures. « A ce moment-là, déclare-t-elle à qui veut l'entendre, je ferme boutique, je baisse le rideau de fer et je hais tous ceux qui n'en tiennent pas compte ! »

Pierre aussi, sans doute.

Mais elle avait besoin que quelqu'un lui dise : « Même si ta fille et tes petites-filles sont passées au triple galop, tu restes la mère de Caroline. Et être mère, c'est être femme... »

Qui, mieux que l'homme avec qui elle l'a eue, cette fille, pouvait la rassurer sur ce point ?

Pierre, pourtant, s'en est abstenu. Seulement, Margot a entendu sa voix. Celle de l'homme qui lui a fait un enfant.

Cela a suffi pour qu'elle se sente femme.

CHAPITRE V

M. Pomerel ne sort pas de ses quartiers, c'est-à-dire de sa chambre à coucher et de la salle de bains contiguë, avant midi. Au cours de la matinée, Margot pénètre plusieurs fois chez lui afin de voir comment tout se passe et si son père n'a pas besoin d'elle.

Elle n'attend pas qu'il l'appelle, mais y va dès qu'elle entend sa petite radio diffuser les informations de neuf heures ; alors elle cogne à la porte, l'entrouvre. M. Pomerel, encore couché sur le côté gauche, écoute France-Inter grâce au poste miniature qu'elle lui a offert pour son anniversaire et qui ne lui sert qu'à ça. Il le cale contre son oreiller et, dès que le bulletin météorologique est terminé, il le ferme.

Margot s'active dans la chambre, tire les rideaux, déploie le peignoir au pied du lit, dispose la chaise près de la table sur laquelle Mme Vauban va apporter dans une minute le plateau du petit déjeuner.

— Aujourd'hui, lance M. Pomerel, il va faire beau.

Ce que Margot sait déjà pour être sortie acheter les croissants, mais M. Pomerel a besoin de l'entendre annoncer à la radio pour le croire, ou plutôt pour avoir, de source autorisée, le privilège de répandre la nouvelle autour de lui.

Une ou deux fois dans la matinée, sous des prétextes divers — coups de téléphone, questions à poser sur l'organisation de la journée —, Margot entrera de nouveau dans sa chambre.

Encore assis devant son petit déjeuner, puis allant et venant à sa toilette, suivie de sa soigneuse séance d'habillage, M. Pomerel lui répond avec courtoisie.

Ce qui caractérise son père, a remarqué Margot, c'est qu'il sait toujours ce qu'il veut : manger ci plutôt que ça, aller à la banque le jour même ou attendre au lendemain, sortir voir ses amis ou demeurer à la maison... Toutefois, avant de répondre, il se concentre quelques instants, comme s'il réunissait son conseil intérieur, puis, une fois sa décision prise, il la profère avec force.

— Aujourd'hui, dit-il, je resterai dans le jardin à me reposer.

Est-il si fatigué ? Margot penche pour l'hypothèse qu'il entend remâcher sa déception.

Elle ne lui posera pas la question.

Lorsqu'elle vivait avec Pierre — est-ce parce qu'ils s'étaient mariés si jeunes ? —, elle ne sentait pas de barrière entre elle et lui, et s'il était grognon ou simplement maussade, que ce fût le matin ou le soir au retour de son travail, elle n'hésitait pas à lui lancer :

— Enfin, qu'est-ce que tu as aujourd'hui ?

— Mais rien...

— Tu te moques de moi ! Qu'est-ce qui ne va pas ?

Pierre finissait par lui donner une explication.

Était-ce la bonne ? A l'époque, Margot n'en doutait pas, et elle tentait aussitôt de résoudre le problème avec lui ou pour lui. Si la nouvelle secrétaire était si lente, il ne fallait pas la garder. S'il ne désirait pas la renvoyer, alors qu'il la permute avec Yolande, beaucoup plus vive. Ou si le problème avoué était physique, mal par ici, mal par là, Margot fouillait aussitôt dans la pharmacie à la recherche d'un cachet, le plus souvent placebo.

Pierre la remerciait, puis se plongeait, selon l'heure, dans son journal du matin ou dans son quotidien du soir ; Margot s'activait à sa toilette ou regardait la télévision, convaincue qu'ils étaient totalement proches, lui et elle, et qu'il ne pouvait y avoir de problèmes entre eux. Ne savait-elle pas se montrer attentive à tous ses soucis ?

Mais lui, l'était-il aux siens ? Maintenant qu'elle y repense, jamais Pierre ne lui demandait : « Qu'est-ce que tu as ce matin, tu parais de mauvaise humeur ? »

Peut-être ne l'était-elle pas. Peut-être s'en moquait-il. A moins que ce ne fût sa manière à lui de préserver sa liberté ?

C'est en cohabitant avec son père que Margot s'est mise à percevoir à quel point un homme, même familier, est une autre personne. Elle a beau partager son intimité, M. Pomerel garde secrètes la plupart de ses pensées.

Jusqu'au moment où il éprouve soudain le besoin de les lui confier.

De préférence au moment où il plie lentement sa serviette, après le repas, pour la remettre dans la pochette en plastique sur laquelle il a lui-même inscrit son prénom à la pointe Bic : Séverin.

Le carré de tissu déployé, ce qui lui masque un instant le visage, il en profite pour déclarer : « J'ai changé d'avis. »

Margot attend la suite sans chercher à deviner ce que M. Pomerel va dire. Elle ne s'impatiente pas non plus. Viendra ce qui viendra.

— Si tu n'y vois pas d'inconvénients...

La serviette maintenant est dans ses plis et, l'ayant posée sur le coin de la table, le vieil homme la lisse de la main pour la glisser plus facilement dans la pochette. Margot suit son manège du coin de l'œil, sans le dévisager, ce qui — elle le sait d'expérience — ralentirait encore son débit.

— Puisqu'il fait bon, et si tu n'as rien à faire, au lieu de rester là, j'irais bien faire avec toi un tour en voiture à Royan.

— Bien sûr, papa.

— Si ça ne te dérange pas...

— Ne t'inquiète pas, je n'ai aucune urgence.

Elle a tout de suite compris ce qui le motive et dont il n'a sans doute pas conscience, mais elle ne le lui dira pas : Royan est situé sur la mer, où sont en ce moment les enfants.

Bien sûr, Caroline, Thierry et les petites ont loué plus haut sur la côte, à Salins-les-Bains, et en se rendant à Royan, son père et elle n'ont aucune chance de les rencontrer.

Toutefois, assis à la terrasse d'un des cafés-glaciers installés tout au bord de la plage, ils seront en mesure de contempler l'océan. M. Pomerel pourra alors se rendre compte par lui-même si le temps est aussi beau que l'a promis la radio — « bleu comme une culotte de zouave », aime-t-il à dire quand aucune nuée ne traîne — et si la mer est bien plate.

Par la pensée, plus exactement par le cœur, il pourra alors partager le bonheur de ses petits-enfants.

Puisque c'est tout ce qu'on veut bien lui en accorder.

— Nous partirons dès que tu auras fait ta sieste, papa.

CHAPITRE VI

— Range-toi ici ! Non, là...

M. Pomerel est si souvent venu à Pontaillac, pour quelques heures, une journée, parfois un vrai séjour, qu'il y a ses habitudes. Et, bien qu'il ne conduise plus, il tient tout au long du chemin à guider Margot.

Il exige qu'elle prenne tel raccourci, se gare à tel endroit.

Ça n'est pas toujours possible. A l'entrée de Rochefort, par exemple, la dernière fois qu'ils ont voulu se rendre à la Corderie royale, suivre les indications de M. Pomerel les a égarés : un nouvel échangeur était en service et le carrefour familier n'existait plus. Croyant ou voulant à tout prix le reconnaître, il les a embarqués sur une route sans issue et Margot s'est retrouvée au bout d'un quai, coincée dans un cul-de-sac.

Pour rien au monde elle n'en aurait fait reproche à son père. C'était suffisamment mélancolique de l'entendre soupirer d'une toute petite voix : « Je ne reconnais plus rien ! », lui si fringant quand il lui enjoignait tout à l'heure : « Tourne à gauche, reprends à droite... »

— Comme ces bateaux de pêche sont beaux, s'est contentée d'observer Margot avant de faire marche arrière.

Puis elle a sagement pris le parti de suivre les nouveaux panneaux de signalisation et ils se sont retrouvés en un instant à la Corderie.

M. Pomerel, ravi de revoir le vieux bâtiment si bien restauré, s'est mis pour la énième fois à expliquer à Margot que si cet édifice étroit et rectiligne est en même temps si long, c'est qu'il abritait autrefois un atelier où l'on tressait les cordages destinés à la marine royale, dont certains, comme les amarres, se devaient de mesurer plus de trois cents mètres d'un seul tenant, autrement ils cassaient.

A la deuxième ou troisième répétition, Margot, impatientée, avait laissé échapper :

— Tu me l'as déjà dit.

— Je ne me le rappelais plus ! Pardonne-moi ! lui avait alors répondu son père d'un ton coupable, si humble qu'elle avait sur-le-champ décidé qu'elle ne lui signalerait jamais plus la moindre de ses redites.

Depuis lors, elle a constaté que le discours de son père n'est en réalité jamais tout à fait le même, il s'y introduit chaque fois une variante, un ajout.

Au fil des mots, et si rien ne l'interrompt, il arrive même qu'un souvenir nouveau lui revienne, par exemple une réflexion qu'aurait faite Amélie en ces lieux mêmes, et qu'il confie à Margot.

— Mais, papa, tu ne m'avais jamais dit ça !

— Tu ne sais pas tout de moi...

Il prend alors cet air supérieur qui émeut tant Margot : à nouveau son père peut se considérer comme un puits de science, toujours capable d'épater sa fille.

A Pontaillac, la petite station balnéaire si sévèrement bombardée pendant la guerre en même temps que Royan, le parking n'est plus à la même place. Ou plutôt, il s'est démultiplié. Celui situé face à la mer est perpétuellement plein et il faut un miracle, une voiture qui démarre sous votre nez, pour vous y garer.

M. Pomerel se déplace mal, trois cents mètres à parcourir lui sont une épreuve, même si son médecin lui recommande la marche.

— Papa, tu ne veux pas descendre de la voiture et t'installer en terrasse ? Tu nous garderas la table.

— Il n'en est pas question, je reste avec toi, répond le vieux monsieur d'un ton sans réplique.

Son code des bonnes manières est impératif : on ne laisse jamais une dame se débrouiller seule !

Et le miracle a lieu : une 2 CV dans laquelle deux jeunes gens s'embrassent quitte sa place, probablement pour des lieux plus propices.

« Merci, mon bon ange ! » soupire intérieurement Margot.

Chercher et trouver des places de parking fait partie des attributions de son ange gardien, et quand il s'en est bien acquitté, Margot n'oublie jamais de lui témoigner sa reconnaissance pour la fois d'après.

— Tiens, là, regarde, tu vas pouvoir te ranger ! dit M. Pomerel, ravi d'être — croit-il — le premier à avoir repéré le créneau devenu libre.

— Tu as raison, dit Margot.

Avec Pierre, elle aurait manifesté qu'elle s'en était déjà aperçue, ne manquant pas une occasion de rappeler que, bien que femme, elle n'était pas nulle.

On est très attaquant lorsqu'on est jeune, et les autres en font les frais. Est-ce parce qu'elle a vieilli ou parce que M. Pomerel est resté si jaloux des prérogatives de sa virilité qu'elle a renoncé, avec lui, à se faire valoir ?

Il y eut une époque où, son père marchant déjà mal, Margot tentait de lui tenir les portes, dans les restaurants, les cafés. Le vieil homme s'encolérait et il la poussait de la main ou même de sa canne pour la faire aller devant lui, comme l'exige le protocole.

Margot a fini par admettre qu'il était plus important de ménager ses sentiments masculins que de faciliter sa marche, et elle passe toujours la première pour entrer dans un endroit public, sans se retourner, mais le cœur battant à l'idée de ce qui peut arriver dans son dos, surtout quand la porte est lourde.

Ils se sont installés en bordure de terrasse, pour que rien ne s'interpose entre eux et la mer.

— La marée est basse, dit M. Pomerel, mais l'un des avantages de Pontaillac, c'est qu'on peut toujours se baigner, on avance plus longtemps dans l'eau avant de perdre pied, c'est tout.

Il se tait et Margot suit la direction de sa pensée : il est parti vers ses petits-enfants.

— Et à Salins-les-Bains, c'est comment ?

— Il y a moins de monde, mais comme la plage est moins grande qu'ici, cela revient au même.

Il est près de cinq heures et cela grouille. N'était pour faire plaisir à M. Pomerel, jamais Margot ne serait venue l'été en bord de mer s'agréger à la foule. Les gens crient, se promènent sur les trottoirs en maillots mouillés, quand ça n'est pas en string...

M. Pomerel, tout à ses souvenirs, n'a pas l'air de s'en apercevoir.

— Quand je séjournais ici, nous allions au casino tous les soirs.

— Je m'en souviens, dit Margot.

— Mais tu étais toute petite !

— J'étais couchée et, avant de partir, vous veniez m'embrasser, maman et toi, dans vos grandes tenues !

— La tenue de soirée était exigée au casino...

— Maman avait des robes superbes. Il me semble qu'elles étaient blanches...

— Ta mère s'habillait toujours en blanc.

— Et toi tu mettais un œillet blanc à ta boutonnière !

— C'est vrai, concède M. Pomerel.

Il a les deux mains sur le pommeau de sa canne et y appuie pensivement son menton.

« Séverin, Séverin... »

Le prénom désuet, que plus personne ou presque n'utilise à l'endroit de son père, résonne si bizarrement que Margot pense d'abord à un tour que lui jouerait sa mémoire. Elle a dû halluciner la voix de sa mère appelant M. Pomerel du bas de l'escalier, comme elle le faisait quand il tardait à la rejoindre !

M. Pomerel, lui, a tourné la tête vers les tables du fond.

Il fronce le sourcil, cherche du regard. Soudain, sa bouche s'entrouvre comme s'il prononçait un *o* muet, et tout son visage se détend dans un beau sourire :

— Ça alors, mais c'est Violette !

— Violette !

— Mais oui, Violette de... attends... ça va me revenir ! Ah oui ! Violette de Brizambourg !

Margot a beau fouiller sa mémoire, elle n'a jamais entendu ce nom-là, qui sonne à ses oreilles comme celui d'une cocotte du siècle dernier.

Dans un bruit de chaise repoussée, s'agrippant à la table avant de saisir sa canne, son père s'est levé et Margot voit venir à eux, les yeux pétillants, une dame âgée, le cheveu tout blanc, mais la démarche alerte.

— Séverin, c'est bien vous ! Je suis Violette...

— Ma chère amie, comment pouvez-vous croire que je ne vous ai pas reconnue ! déclare M. Pomerel d'une voix forte et avec des tonalités inusitées dans les basses. Je disais justement à ma fille — ajoute-t-il en désignant du bras Margot qui s'est également levée —, voilà Mme de Brizambourg ! Mais asseyez-vous donc, ma chère, fait-il en poussant sa propre chaise du côté de l'arrivante.

— C'est que je ne voudrais pas déranger ! dit

Mme de Brizambourg en se laissant tomber sur le siège offert.

Margot a emprunté une chaise vide à la table voisine, et la glisse derrière son père, lequel se rassoit à son tour.

Tout ce temps-là, Mme de Brizambourg n'a pas quitté M. Pomerel du regard.

— Vous n'avez pas du tout changé !

— Vous non plus !

— Vous vous moquez de moi, Séverin, vous ne voyez pas mes rides, mes cheveux blancs ?

— Je veux dire que vous êtes, comme toujours, une fieffée complimenteuse !

Mme de Brizambourg éclate d'un rire coquet :

— Et vous, le plus impitoyable des taquins !

M. Pomerel se rengorge ; en deux phrases, il s'est imposé comme mâle supérieur ! Margot en est stupéfaite : tant de virilité chez ce vieil homme ! Et tant de féminité chez cette dame âgée !

Mais pourquoi croyait-elle le contraire ?

Soudain, Mme de Brizambourg se tourne vers elle.

— Alors, c'est Margot !

— Eh oui, dit M. Pomerel.

— Je l'aurais reconnue, dit Mme de Brizambourg, ce beau regard pénétrant ! A cinq ans, elle vous perçait déjà jusqu'à l'os. Je la revois encore... Mais je crois bien que c'était à cette même terrasse, elle s'asseyait sur ses deux mains et elle vous regardait, regardait...

Soudain, Margot a un vague souvenir. Son père, plus gai que d'habitude, l'emmenait parfois jusqu'à Pontaillac pour prendre un bain, disait-il à sa mère qui préférait rester à Saintes.

Le bain, qu'il partageait avec elle, était accéléré ; aussitôt après, il lui proposait une collation, ici même, et à peine étaient-ils assis qu'une dame ou une autre surgissait comme par hasard et s'asseyait à leur table.

Tout comme aujourd'hui !

Devant Margot, c'était à l'instant une accumulation de gâteaux commandés par la dame. Margot, qui mourait de faim après son bain de mer, refusait d'y toucher. Elle s'asseyait sur ses mains pour dompter la tentation. Et éviter aussi d'en tendre une à la dame.

Pour quelle raison, elle n'aurait su le dire. Mais elle n'aimait pas la façon dont son père, sur le chemin du retour, lui disait : « Inutile de parler de cette rencontre à ta mère. Tu sais comme elle est, les gens l'effraient, ça l'inquiétera qu'on ait vu du monde... Il n'y a qu'à lui dire qu'on est restés sur la plage à se sécher au soleil. Pourquoi n'as-tu pas voulu des gâteaux ? Je croyais que tu adorais les meringues à la crème ? »

Margot conservait le secret, car elle n'aimait pas voir le rouge monter aux pommettes de sa mère quand elle était contrariée, ni ce léger tremblement qui la prenait parfois, à peine perceptible, assez pour la faire souffrir, elle, Margot.

« Ta mère est une sensitive, disait M. Pomerel, un rien la bouleverse. Heureusement que tu n'es pas comme elle ! »

Margot, en effet, ne tremble pas physiquement, mais à l'intérieur, que se passe-t-il ?

— Je suis grand-mère, dit-elle calmement. Et divorcée.

C'est là deux gros morceaux et Mme de Brizambourg, pour les avaler, doit fermer un instant les yeux. Puis elle les rouvre, agite les mains, secoue pensivement la tête.

— Le temps passe, évidemment..., murmure-t-elle.

Sa voix se transforme pour devenir presque triomphale :

— Eh bien moi, je suis divorcée et pas remariée !

Elle a lancé la phrase en direction de M. Pomerel qui, cette fois, paraît décontenancé.

— Je ne savais pas, dit-il platement.

— Séverin, cela va faire combien d'années que vous n'avez pas pris de mes nouvelles ?

— Mais...

— Ne vous excusez pas, mon ami, j'ai déménagé, et beaucoup voyagé.

— Ah, ah, dit M. Pomerel, et où ça ?

— Oh, j'ai été en Roumanie, en Inde, en Amérique centrale aussi, et à Madagascar.

— Pas possible ! dit Séverin de Pomerel, estomaqué. Eh bien, il va falloir que vous me racontiez tout ça...

— Ce sera long !

— Pourquoi ne venez-vous pas déjeuner ?

— Où ça ?

— Eh bien, chez nous, à Saintes ! N'est-ce pas, Margot ?

— Ah, vous avez gardé la vieille maison ?

Elle en sait des choses, cette Mme de Brizambourg.

— Il y a là tous nos souvenirs de famille. Et puis, à mon âge, on a besoin de calme. On ne supporte plus l'agitation des stations balnéaires... C'est bon pour la jeunesse, ça ! dit M. Pomerel en embrassant d'un geste du bras la mer, la plage et les trottoirs de plus en plus peuplés et bruyants à mesure que l'après-midi s'avance.

Mme de Brizambourg se reprend à rire.

— C'est un reproche que vous me faites ?

— Ma chère, vous venez de me dire que vous êtes une femme libre, vous avez le droit de vous dévergonder si cela vous chante !

— Oh, Séverin, comment pouvez-vous dire ça de moi !

Il est entendu que Violette de Brizambourg viendra leur rendre visite la semaine suivante, elle arrivera par le train, à l'heure du déjeuner, Margot ira la chercher à la gare, et même — pourquoi pas ? — elle restera coucher. Il y a plus d'une chambre d'amis, dans la vieille maison. Ce sera moins fatigant que de reprendre le train le soir même.

Au moment de se séparer, M. Pomerel propose galamment de raccompagner la vieille dame en voiture jusque chez elle, mais elle allègue la proximité de son hôtel, qui donne sur la plage, et la nécessité de faire quelques courses, pour décliner l'offre.

Sur la route du retour, après plusieurs kilomètres parcourus en silence, M. Pomerel se permet une question :

— Comment la trouves-tu ?

— Belle, dit Margot.

C'est vrai. Un port, une grâce, un savoir-dire, aussi. Bien vécue, la vieillesse n'emporte pas l'essentiel.

« Sacrée Violette... », murmure M. Pomerel, presque pour lui seul, avant de caler sa tête contre le dossier de son siège et, comme il lui arrive de plus en plus souvent en voiture, de sombrer dans le sommeil.

CHAPITRE VII

Il est onze heures du matin quand Margot compose le numéro des enfants, à Salins. Au bout de cinq à six sonneries, c'est Caroline qui répond d'une voix pâteuse.

— Ma chérie, ne me dis pas que je te réveille ?

— Si, Maman...

— Vous vous êtes couchés si tard ?

— Pas particulièrement... Seulement, tu sais, on est en vacances !

Sous-entendu : on a tous les droits, mais toi, tu n'as pas celui de nous déranger !

Margot n'arrive pas pour autant à se sentir coupable. Onze heures ! De son point de vue, la meilleure partie de la matinée, celle où l'on a l'esprit le plus clair, le corps le plus alerte, est déjà écoulée...

Cela fait des heures qu'elle surveille la pendule pour attendre ce qu'elle considère comme l'extrême limite : plus tard, les enfants risquent d'être à la plage, ou alors au marché !

Eh bien non, ils sont encore à traînasser dans leur lit !

— Et les petites ?

— Elles dorment ! En tout cas, je ne les ai pas entendues bouger, dit Caroline en bâillant bruyamment.

S'il ne s'agissait pas de sa fille, Margot tiendrait compte du message et dirait : « Eh bien, rendors-toi, je te rappellerai plus tard ! »

Mais là, quelque chose de sa fibre éducative s'irrite, et si elle ne se permet plus, maintenant que Caroline a échappé à sa tutelle, de lui dire : « Écoute, paresseuse, le soleil est haut dans le ciel, tu perds ta vie à mariner dans ton lit ! », elle fait en sorte d'achever de la réveiller en la maintenant au bout du fil. Tout en devinant, sans vouloir en tenir compte, que Thierry, couché près de Caroline, doit tirer une tête épouvantable et pester contre la Béhème (abréviation pour belle-mère) qui, une fois de plus, se révèle insupportable.

Après tout, Margot ne fait que remplir son rôle de parent : rappeler la loi à ses enfants quand ils l'oublient... Et la loi, c'est qu'on ne se laisse pas aller, même en vacances.

Et elle, Margot, ne se laissait-elle pas aller lorsqu'elle était jeune ? Certes, elle dormait plus et plus longtemps qu'aujourd'hui, mais jamais, au grand jamais jusqu'à onze heures. Sauf à l'époque où elle passait parfois des nuits blanches à danser. Il y avait encore des bals quand elle était jeune fille. Ou alors, au lendemain d'un examen qu'elle avait préparé en dormant à peine, pour rattraper son sommeil.

Elle se souvient encore de cet après-midi où, rentrant de la Fac, elle s'était couchée à trois heures de l'après-midi pour se réveiller le lendemain à midi, sachant qu'elle était reçue avec mention. Exceptionnelle volupté !

Était-elle plus courageuse que sa fille, élevée avec plus de fermeté ? Ou, simplement, avait-elle plus de désir et de passion ?

Caroline en manque, semble-t-il, mais les parents ont-ils le pouvoir d'injecter du désir dans le sang de leurs enfants ? Son absence signifie-t-elle qu'ils ont failli ?

— Qu'est-ce que vous faites toute la journée ? demande-t-elle dans l'espoir de détecter dans la voix de sa fille un quelconque enthousiasme.

— Rien, dit Caroline qui rebâille. On se baigne, les petites sont inscrites à un club de planche à voile...

— Et la nourriture ?

— Oh là là, c'est expédié ! Il y a un supermarché tout près, alors tu penses, les surgelés, ça fonctionne...

— Mais il y a du poisson frais, sur la côte !

— C'est la barbe à préparer, et puis les enfants n'aiment pas les arêtes.

Margot se voit déjà achetant le poisson, le faisant cuire, puis extirpant les arêtes une à une avant de déposer les assiettes garnies devant chacune des petites... Elle leur moulinerait, en accompagnement, de légères purées de légumes, avec un zeste de crème. Arrêtera-t-elle jamais d'être maternelle ? De se conduire en servante de sa progéniture ?

Ça n'est pas que ce soit mal, mais ça n'est pas ce que les enfants demandent, passé un certain âge. (L'ont-ils jamais demandé, d'ailleurs, après trois ans ?) Or, qu'a-t-on d'autre à leur donner que l'assistance ménagère, en sus de l'argent, quand on est parent ? Que peut Margot, aujourd'hui, pour Caroline ?

Raccrocher, certes, mais cela lui paraîtrait une démission.

— Eh bien, venez manger un jour ici, ça vous changera.

— Thierry fait de la voile, ça l'embête d'y renoncer !

Margot se retient pour ne pas lancer : « Laisse tomber ton Thierry, pour une fois, et viens seule avec les petites ! » Ce serait pris pour de la provocation, même si elle peut imaginer que Thierry apprécierait de souffler un peu. Quel homme n'a pas besoin de se retrouver solitaire, et quelle femme de se « recohéser » auprès de maman ?

Mais c'est à Caroline de le proposer, pas à elle.

— Comment va grand-père ?

— Bien, il a retrouvé une vieille amie. Elle vient nous rendre visite dans trois jours.

— Sans blague, un flirt ?

— En tout cas, elle est charmante, elle s'appelle Violette de Brizambourg...

— Oh là là ! C'est tout grand-père ! Il est capable de se remarier, méfie-toi pour l'héritage !

Caroline s'amuse. Autant elle manque de fantaisie ou de liberté pour sa propre vie, autant elle a de l'imagination, parfois déplacée, pour celle des autres. D'ailleurs, elle passe sa vie à lire des feuilletons. Quand elle lit.

Margot, soudain, s'impatiente : qu'a-t-elle donc raté, avec sa fille, pour que celle-ci s'intéresse si peu au monde extérieur, seulement à son ménage qu'elle appelle parfois d'un terme animal, sa « nichée » ?

Mais est-il juste de reprocher à une mère de n'être qu'une mère ? Elle-même ne l'a peut-être pas été assez, trop amoureuse de Pierre, passionnée aussi par son propre travail.

— Êtes-vous allés au zoo de la Palmyre ?

— On a du mal à bouger, en vacances !

Et quand ils n'y sont pas, est-ce qu'ils en font plus ?

— Vous ne voulez pas que je vous y emmène ?

— Si tu veux...

— Quand ?

— Je ne sais pas, moi, quel jour on est ? J'ai oublié...

Il faut que Margot lui rappelle la date, le jour, en choisisse un, décide de l'heure. Avant de raccrocher, elle a demandé s'ils n'avaient besoin de rien : eh bien si, justement, d'un certain produit que le pharmacien ne voulait pas leur vendre sans ordonnance ; Margot, connaît assez le sien qui le lui fournira, et puis les petites réclament de nouveaux vêtements pour leurs poupées Barbie.

Margot raccroche et elle se sent partagée. Elle a gagné : les enfants l'attendent le surlendemain et, bonheur supplémentaire, lui ont demandé de leur faire des courses ! En même temps, elle éprouve le sentiment de s'être imposée, d'avoir eu à forcer son chemin, de n'être pas vraiment voulue.

CHAPITRE VIII

En quelle année sont-ils venus à Saintes pour la première fois, Pierre et elle ? Margot se rappelle seulement qu'ils étaient mariés depuis peu, et terriblement proches. Ça n'est pas qu'ils se soient tellement éloignés par la suite, mais ils étaient si jeunes, au début de leur mariage, qu'ils se conduisaient comme de jeunes chiots qu'on vient d'enlever à leur portée : ils ne pouvaient pas se séparer.

C'en était comique ; quand l'un quittait la pièce, l'autre suivait et ils faisaient tout ensemble : se promener, manger, dormir, lisant en même temps le même livre, le même journal ; il leur arrivait fréquemment de prendre la parole au même moment... pour dire la même chose !

Famille et amis avaient coutume de les asseoir à table l'un à côté de l'autre. Ils n'auraient d'ailleurs pas hésité à déranger l'ordonnancement du couvert pour se placer flanc à flanc, comme de jeunes bêtes effrayées d'avoir été sevrées.

Ils formaient un couple presque plus fraternel qu'amoureux. Seuls ensemble, ils se parlaient peu. Ils étaient tellement pareils, accordés en tout. Pourtant, quand Pierre avait répondu « Pourquoi pas ? » après qu'elle lui eut transmis l'invitation de M. Pomerel à venir passer les fêtes de Pâques dans sa maison saintongeaise, son acceptation avait surpris Margot.

Pierre n'appréciait guère jusque-là les ambiances familiales, encore moins la province qu'il baptisait « la cambrousse ».

C'est en chemin qu'elle avait compris : Pierre mourait d'envie d'essayer sur un trajet assez long sa première voiture, tout juste rodée ! Une Frégate, ce nouveau modèle lourd mais puissant que venait de sortir Renault.

Il leur avait fait parcourir le chemin d'une traite, sans lui laisser le volant. A l'époque l'autoroute n'existait pas, il fallait traverser Orléans, Tours, Sainte-Maure, Chatellerault, Poitiers, Angoulême, ralentir aux croisements, stagner aux feux rouges, c'était long.

Pierre, pourtant, aurait bien continué à conduire jusqu'à Bordeaux, tout occupé qu'il était à prendre sa voiture en main. Sur les derniers cent kilomètres, il avait gagné de l'assurance et faisait crier les pneus dans les virages à la manière des conducteurs de ce temps-là.

— Combien vous mettez, d'habitude ? avait-il demandé à Margot au moment où, débouchant de la route de Paris, ils avaient aperçu dans une brume rose les trois clochers qui font la gloire de Saintes, Saint-Europe, Saint-Pierre, l'Abbaye-aux-Dames.

— Six heures à six heures et demie, avait-elle répondu un peu au hasard. Regarde comme c'est beau, Saintes, vu d'ici.

— Ah, ah ! tu sais le temps qu'on a mis ?

— Non.

— A peine cinq heures vingt, cinq heures si on ne compte pas l'arrêt à la station-service.

Plus vite, toujours plus vite, pourquoi les hommes ont-ils ce besoin-là si furieusement chevillé en eux ?

M. Pomerel aussi leur avait tout de suite demandé combien de temps ils avaient mis depuis Paris, et pendant que Pierre faisait à son beau-père les honneurs de son nouveau « char », garé juste en face de la vieille maison, Margot s'était avancée seule à travers le couloir obscur et frais.

Elle se souvenait encore d'avoir éprouvé le curieux sentiment que quelqu'un l'attendait. Mais qui ? Ce ne pouvait être son père, puisqu'il était demeuré dans la rue avec Pierre à discuter performances automobiles.

Personne d'autre ne se trouvait dans la maison ; la vieille Honorine, qui faisait le service du matin au soir, était partie en courses, l'avait informée M. Pomerel.

Margot avait pourtant hésité à pousser les portes pour se rendre à la cuisine, comme si elle pénétrait sur le territoire de quelqu'un. Était-ce sa grande-mère, depuis si longtemps disparue ? Ou alors, ombre plus ancienne encore, l'arrière-grand-mère ? Ou cette vieille cousine qui avait, sur le tard, servi de gouvernante à la maisonnée ? Une femme, en tout cas, voire plusieurs, occupaient encore la maison. Étaient-elles heureuses de sa présence ? Avaient-elles un message à lui délivrer, une recommandation à lui faire ?

La brusque réapparition de Pierre et de M. Pomerel interrompit sa rêverie. Ils avaient soif, ils voulaient boire sur-le-champ, d'autant que Pierre venait de promettre à son beau-père de l'emmener essayer sa voiture.

Tout au long de ces trois jours, les deux hommes ne firent que discuter des mérites comparés des anciennes et nouvelles marques d'automobiles. M. Pomerel, grand amateur en son temps de véhicules rapides, avait évoqué à loisir ses Panhard, Voisin, Delahaye et premières petites « Citron ».

Pierre l'écoutait, passionné. En revanche, il n'avait émis aucune remarque, ni manifesté la moindre curiosité pour le cadre, que ce fût celui de la ville ou la vieille maison. Au cours de leur bref séjour, Margot avait eu le sentiment que son père et lui étaient deux petits garçons communiant dans un amour immodéré de la mécanique. Rien d'autre.

Margot était seule à s'émerveiller de la beauté d'une rose du jardin fichée dans le vase bleu, sur la table de la véranda. La féerie des éclats de lumière reflétés par le cristal taillé n'émouvait qu'elle.

Ce fut la première faille dans l'état fusionnel où elle se complaisait jusque-là avec son jeune mari, comme si Pierre et elle n'avaient formé qu'un seul être.

Le vase de cristal est toujours de service dans la véranda, son bleu contraste avec le jaune des fruits du citronnier que Margot s'est procuré cette année sur une remarque de M. Pomerel :

— Tu vois, ces grands pots ? Ta grand-mère y plaçait des citronniers, lui a-t-il dit. Mais ta mère n'a pas voulu continuer, elle craignait qu'ils aient froid en hiver.

— Il n'y a qu'à installer un radiateur électrique, a répondu Margot, poussée par une main invisible à faire « comme avant ».

Puis tous deux étaient repartis et M. Pomerel, sur le pas de sa porte, les avait regardés démarrer avec une intense mélancolie. Le moteur de la Frégate était à peine en marche qu'il attendait déjà leur retour.

A chaque départ, cette réclamation silencieuse qu'aucun séjour, long ou bref, ne semblait jamais pouvoir combler, exaspérait Margot.

A présent, est-ce à elle d'attendre sans répit les enfants ?

CHAPITRE IX

Mme de Brizambourg descend lourdement d'un wagon de seconde, poudrée, maquillée, chapeautée, dans un petit ensemble en grain de poudre bleu marine, blouse de surah blanc et mauve nouée sous le cou. Derrière elle, un monsieur semble surveiller sa descente, un sac de voyage à la main qu'il lui tend — car c'est le sien — dès qu'elle a repris son équilibre sur le quai.

Le voyageur s'éloigne après que la voyageuse l'a courtoisement remercié d'un sourire. De toute évidence, Violette sait utiliser autrui tout en le maintenant à sa place, un art que possédaient à fond les femmes d'autrefois.

— Avez-vous bien voyagé ? lui demande Margot dès qu'elle l'a rejointe et embrassée.

— Oh, très bien, Royan n'est qu'à trois stations de Saintes ! Mais Dieu que j'ai eu chaud !

— Il fait frais dans la maison, venez, Papa vous attend.

La vieille dame se met à trottiner pour la suivre et elle paraît à Margot plus petite qu'à Pontaillac, quand elle a surgi derrière eux comme un personnage venu du fond des temps.

« Tant d'années traversées sans nous, se dit Margot, les gens âgés sont des mystères... » Sa mère, autre mystère, les a quittés du jour au lendemain, comme on claque une porte. Et au moment où elles passent de l'obscurité de la gare à la pleine lumière, Margot ressent à nouveau le coup de poignard de sa mort : est-ce la présence de Violette qui l'a réactualisée ?

« Aucune douleur ne nous quitte, se dit-elle ; le cerveau les stocke, c'est tout. » La pensée s'est imposée comme si elle ne venait pas d'elle.

Une fois dans la voiture, Violette se met à causer avec un enjouement soutenu que Margot a pu observer chez d'autres vieilles amies de son père, comme si on les avait dressées dans leur jeunesse à distraire leurs hôtes.

Après une ou deux anecdotes joliment tournées sur ses compagnons de voyage, quelques remarques sur le temps, Violette se met à vanter la ville de Saintes, sa quiétude estivale qui délasse de l'agitation de la côte, et, à mesure qu'elles s'en approchent, le pittoresque du vieux quartier niché à l'ombre de la cathédrale, enfin leur demeure, à l'entendre la plus belle de la rue !

— La plus petite ! objecte Margot en riant.

— C'est bien ce qui fait son charme, dit Violette. Je n'aime pas les grandes baraques, on s'y fatigue et elles chauffent mal...

La maison de ses hôtes ne peut qu'être le joyau des lieux et eût-elle été la plus grande que Violette se fût pareillement extasiée.

La voiture à peine arrêtée, la porte d'entrée s'ouvre sur M. Pomerel, tout sourire. Lui aussi sait pratiquer le code de l'hôte irréprochable et il devait les guetter derrière la vitre.

Dès le seuil, c'est l'assaut de compliments, aucun n'écoutant l'autre ! Se sentant inutile, Margot, une fois la voiture garée, monte déposer le léger bagage de Mme de Brizambourg dans la chambre d'amis préparée par Mme Vauban.

La chère femme a pensé à tout, aux fleurs dans le petit vase de la cheminée, à la bouteille d'eau minérale près du verre en cristal, aux serviettes de bain roses et à l'épais peignoir dans le cabinet de toilette adjacent. Elle a même disposé un flacon d'eau de Cologne et un savon rond encore enveloppé de son papier plissé. Une seule chose lui a échappé — à moins qu'elle ne l'ait laissée là exprès ? —, la photo de mariage de Séverin et Amélie, en bonne place sur la commode, dans son cadre d'argent ciselé.

Nul n'ignore qu'ils ont été mariés ; toutefois, Margot pense que Mme de Brizambourg aimera autant ne pas en avoir l'image sous les yeux à son lever comme à son coucher. Le portrait en pied d'Amélie accroché au salon dans une robe style Poiret suffit, et Margot prend le cadre et le serre contre sa poitrine pour l'emporter chez elle.

— Un doigt, ma chère, rien qu'un doigt... Cela va vous retaper et vous ouvrir l'appétit pour le déjeuner !

— Alors pas le pouce, l'auriculaire ! Et pas le vôtre, Séverin, le petit mien ! Vous voulez me saouler, ma parole !

— Je connais vos capacités, ma chère, c'est impossible !...

— C'est vous qui l'êtes, impossible, vieux coquin... Mais arrêtez donc ! Ça suffit !

Les voix de deux personnes parlant familièrement et un peu fort, comme il est d'usage quand on prend de l'âge, montent du rez-de-chaussée et Margot, sur le palier, en vient à sourire. Qu'y a-t-il eu, autrefois, entre Violette de Brizambourg et son père ? Seraitelle la dame de la « fugue » ? En tout cas, ils sont de la même époque : des mots tout simples comme « prendre le thé », « aller se promener » résonnent de la même façon dans leur bouche ; on sent aussi qu'ils ont les mêmes images derrière les yeux quand ils évoquent un lieu ou une personne de connaissance.

C'est bien ce qui les réconforte l'un et l'autre : pouvoir constater que ce qui encombre la plus grande partie de leur mémoire n'est pas entièrement lettre morte ! Que c'est encore « du vrai », comme disent les enfants.

Margot aussi commence à avoir emmagasiné pas mal d'images qui ne correspondent plus à rien d'actuel. Des souvenirs d'amour, par exemple, ou de la toute petite enfance de Caroline.

Est-ce ce qui pèse si lourd quand elle se sent lasse sans raison et se laisse tomber dans un fauteuil, jambes coupées ?

Serait-ce le fardeau du passé disparu, ce poids inexplicable, juste au-dessus du cœur, contre l'aorte ? Et si elle pouvait mettre en mots ces images qui la hantent, les « babiller » à deux comme le font en ce moment Violette et Séverin, renaîtrait-elle à la légèreté de l'être ?

Un éclat de rire frais, serein, monte par la cage de l'escalier : faire revivre à deux le passé disparu c'est un bain de jouvence.

Mais Margot est seule.

CHAPITRE X

— Non, maman, je t'assure, tout va bien...

Qu'a-t-elle à traquer ainsi chez Caroline les traces d'un souci ? Ce n'est pas la première fois qu'autour de cette longue et lisse fille blonde, elle croit percevoir une aura plus sombre. Toute petite, déjà, lorsqu'elle allait la chercher à l'école, elle la voyait ceinte par une brume scintillante qui la distinguait à ses yeux du reste de ses camarades.

A moins que ce ne soit son amour de mère qui l'auréole et la rende si spéciale à ses yeux ?

Son enfant...

Il faut parfois qu'elle s'en convainque à nouveau. Comme tout à l'heure, dans la foule du supermarché où elles se sont perdues de vue, chacune poussant son chariot le long des étalages. A la recherche de ce nouveau produit si pratique pour nettoyer les baignoires — où l'ont-ils dissimulé ? —, Margot ne regardait plus autour d'elle et quand elle a enfin tendu la main vers l'objet de sa convoitise, elle a senti qu'elle bousculait quelqu'un.

— Oh pardon, Madame, a-t-elle fait machinalement, sans se retourner.

— Mais c'est moi, maman !

— Ah, c'est toi ? a dit Margot.

Sa bombe de nettoyage en main, elle dévisageait

Caroline qui lui paraissait soudain plus grande, plus âgée, une sorte d'inconnue surgie de la foule.

Elle s'est reprise.

— Prends, c'est pour toi. Tu verras, c'est épatant.

— Pour quoi faire ? a demandé Caroline, déroutée par le sérieux de sa mère.

— Pour nettoyer les baignoires...

— C'est Maria qui le fait.

— Qui ça ?

— La jeune fille au pair qui est venue m'aider avec les enfants, une Canadienne.

— Eh bien, ce sera pour Maria, a dit Margot en fourrant la bombe dans le caddy de Caroline.

Elles s'étaient donné rendez-vous sur la place du village et Caroline avait demandé à sa mère si ça ne l'ennuyait pas qu'elles aillent faire des courses au supermarché, profitant de ce que les petites n'étaient pas avec elles.

C'est un trait de la vie moderne, s'était dit Margot, qu'on cherche toujours à « profiter » d'une occasion, d'une place libre, de la proximité d'un lieu ou d'un autre... M. Pomerel, pour son compte, ne profite que du temps, lorsqu'il est beau, de la saveur d'un plat ou d'une présence amie. Margot, pour sa part, a pris le pli de son époque : vouloir en faire le maximum dans le minimum de temps ! Caroline est pire qu'elle, frénétique.

— J'ai trouvé des collants de laine pour les petites, ils seront très pratiques à la rentrée, et pendant que j'y suis, j'aimerais passer chez le blanchisseur voir si le costume de Thierry est prêt. Et son magazine auto doit être sorti, la Maison de la presse est à côté de la poste ; puisqu'on est là, j'achèterai des timbres.

— Puisqu'on est là, dit Margot, si on allait plutôt prendre un verre, toutes les deux, au bar de l'hôtel de la Mer ? Tu verras, c'est le calme même. C'est ton grand-père qui me l'a fait découvrir.

— Mais...

— Mais quoi ?

— Les enfants !

— Tu m'as dit qu'elles étaient à la plage, Maria n'est pas avec elles ?

— Si.

— Alors, elles peuvent attendre... Elles n'attendent pas, d'ailleurs, elles se baignent, elles sont bien.

Caroline avait l'air mal à l'aise, assise en face d'elle devant le guéridon de bois verni. Un garçon en veste blanche vint voir ce que désiraient ces dames.

— Vous préparez des cocktails ? demanda Margot pour bien marquer qu'elles avaient tout leur temps, en tout cas qu'elles allaient le prendre.

— Certainement, Madame.

— Eh bien, faites-moi un Alexandra... Et toi, Caroline, que veux-tu ?

— Je ne sais pas, je...

— Deux Alexandra, dit Margot avant que Caroline ne réclame son Schweppes habituel.

C'est drôle comme cette génération, si capable de se saouler à l'occasion, ignore l'art de savourer ce qu'elle mange ou boit.

Et de goûter le temps.

C'est ce qu'il y a de plus invisible et de plus luxueux au monde, le temps ! Le prendre, l'aménager, en faire quelque chose à soi, un moment hors de tout, dont on se souviendra plus tard. Elles oublieront probablement, l'une comme l'autre, la course-poursuite dans le supermarché, suivie de tant d'autres semblables, mais pas ce moment de pause qui les arrache à la vie courante.

« C'est ce que l'existence m'a appris, se dit Margot : savoir à l'avance ce que je vais oublier et ce dont je me souviendrai. En somme, à distinguer le précieux du tout-venant. »

Est-ce pour cela qu'elle « cuisine » Caroline, après les premières gorgées du mélange alcoolisé rendu mousseux par le battage dans le shaker ? Afin que sa fille lui dise quelque chose qui sorte de l'ordinaire, des paroles juste pour ce moment-là et pour elles deux ? Dont elle se souviendra...

C'est si rare qu'on se parle cœur à cœur, en famille. Et Caroline est préoccupée, c'est sûr !

— Tout va bien..., répète Caroline.

Elle détourne la tête vers la petite fenêtre qui découpe son carré de lumière vive dans l'obscurité du bar.

« Et moi, si elle me demandait si tout va bien, que lui répondrais-je ? » se demande Margot en contemplant le profil de sa fille, resté enfantin probablement à cause de la lèvre supérieure, duveteuse, gonflée. Les lèvres, c'est la première chose qui vieillit chez la plupart des femmes. Est-ce parce qu'après trop de blessures, on cherche à se protéger du monde extérieur en resserrant ses orifices, à commencer par la bouche ? Caroline, dans ce cas, est encore tout exposée.

— C'est seulement...

Margot se concentre, le cœur serré. Mon Dieu, faites qu'elle ne soit pas malade, et les enfants non plus ! Tout le reste est tolérable.

— Je crois que Thierry...

Caroline s'est à nouveau tournée vers elle, les coudes collés au corps, les yeux agrandis par une sorte d'effroi.

— Je crois que Thierry a une maîtresse...

Margot manque de rire de soulagement. Ce n'est donc que ça !

— Qu'est-ce qui te fait penser une chose pareille ?

— Je l'ai vue...

— Où ça ?

— A Paris, par la fenêtre !
— Du septième étage ?
— Je sais, ça a l'air bête, mais c'est par hasard... Je me suis penchée au balcon pour voir où en était la circulation, parce que Thierry n'arrivait pas. Et je l'ai aperçu qui descendait d'une petite Austin en double file...
— Et alors ?
— Au moment où il allait s'éloigner, une main de femme s'est tendue, il avait oublié son attaché-case ! Il est revenu en arrière, il a introduit son buste dans la voiture, et j'ai bien vu qu'il l'embrassait.
— Qui ?
— Elle.
— C'est tout ?
— Oui.
— Tu ne lui as rien dit ?
— Non... Cela m'aurait fait tellement mal de le voir mentir.
— Tu as eu tort, il y avait peut-être une bonne explication. Le métro est tombé en panne, il en est sorti et il a rencontré une collègue qui l'a raccompagné jusque chez lui !
— Alors, pourquoi il ne me l'a pas dit ? Et puis, ça n'est pas tout... Il sentait le parfum.
Les parfums !
Elle aussi, Margot, avait suspecté les parfums, autrefois. C'est une chose stupide de penser qu'on perd l'odorat pour le sien propre, tandis qu'il s'avive pour celui de l'« étrangère »... Un homme avisé devrait engager toutes les femmes de sa vie à porter le même ! Que de drames évités !
Mais à quoi va-t-elle penser quand sa fille souffre de la pire des maladies, la jalousie ?
Caroline jalouse ! Comme c'est étrange ! Margot a toujours pensé que sa fille était si ravissante,

tellement attirante qu'elle tromperait forcément Thierry la première. Elle viendrait alors voir sa mère pour lui demander de lui fournir des alibis ! Ce que Margot aurait fait bien volontiers, tout en la mettant en garde : « Attention aux enfants, il faut à tout prix éviter de divorcer, le reste s'arrange. Au fond, vous vous adorez, Thierry et toi... »

— Mais Thierry et toi vous vous adorez ! Qu'est-ce que c'est que ce conte de nourrice ?

Le visage de Caroline se crispe comme lorsqu'elle était tout enfant, et elle se met à pleurer à petits coups.

— J'ai mal.

Ah non, pas ça !

— Pourquoi n'avez-vous pas une bonne explication, bien franche ?

— J'ai des soupçons, mais je ne suis pas vraiment sûre ! Je n'ai pas envie de savoir pour de bon, cela me forcerait à prendre une décision...

— Laquelle ?

— Si Thierry me trompe, je le quitte !

— Gâcher ta vie, celle de tes enfants, détruire ton ménage pour une petite aventure de rien du tout ? Tu es folle !

— N'est-ce pas ce que tu as fait quand papa t'a trompée ?

— Mais ton père ne m'a jamais trompée ! Enfin, ça n'est pas pour ça que nous avons divorcé.

— C'est pourquoi, alors ? Je ne l'ai jamais su...

C'est vrai, Margot ne le lui a jamais dit. Elle a seulement répété les phrases lénifiantes qu'il est recommandé de fournir aux enfants : « Ton père et moi ne nous entendons plus très bien, ma chérie, nous préférons pour l'instant vivre séparés. Quelle chance pour toi ! Tu auras deux maisons au lieu d'une ! »

Deux maisons — ou plus du tout ?

La plage est presque déserte quand Margot et Caroline vont retrouver les enfants. A peine quelques petits groupes disséminés sous des parasols, à cette heure du grand midi, de rares baigneurs qui frappent l'eau d'un bras paisible, un ou deux chiens. Le reste est allé déjeuner.

— Où sont les enfants ?

— Je crois que je les vois, oui, c'est ça, le drap de bain rouge et jaune, à côté du parasol rayé...

— C'est Mélissa qui ramasse des coquillages, et les autres ?

— Élise est allongée à côté de Maria, elles lisent un magazine...

— Où est Amyette ?

— Elle joue avec un autre enfant, un petit garçon.

— Où ça ?

— Là-bas, tu ne vois pas sa queue de cheval ?

— Ah si !

Une deux, trois, aucune des filles ne manque à l'appel ! Margot sent Caroline se détendre imperceptiblement. « Pour moi, je n'ai pas connu cette perpétuelle angoisse de gardien de troupeau, je n'avais qu'un seul œuf dans mon panier... » D'autant plus fragile. Mais, avec les enfants, tout l'est.

Élise, l'aînée, les aperçoit la première, peut-être guettait-elle leur arrivée, elle se lève d'un bond et court à leur rencontre : « Maman ! Mamie ! »

Mélissa lève la tête, abandonne son seau et ses coquillages pour se précipiter elle aussi. Elles sont si à l'aise sur le sable, trébucher ne les dérange pas, elles ne se tordent jamais les chevilles. Pourquoi perd-on cette grâce, plus tard, au point de devenir ridicule, comme cette grosse dame en maillot qui se dirige vers la mer en agitant les bras à chaque pas en ailes de pingouin ?

« C'est bizarre, se dit Margot, avec l'âge, au lieu de s'adapter à son environnement, on dirait que l'être humain lui devient étranger... C'est peut-être ça, se civiliser ! »

Mais elle peut bien philosopher, une unique pensée, elle le sait, occupe son esprit : les enfants sont sous le coup d'une menace à cause de la faille surgie entre leur père et leur mère.

Ce ne sont plus, à ses yeux, les mêmes petites filles que celles qui sont passées à Saintes d'un air vainqueur, elle leur trouve maintenant quelque chose de las, de... eh bien oui, d'abandonné.

« Moi aussi, j'ai l'imagination qui galope, se dit-elle en les prenant successivement dans ses bras. C'est l'été, cela chauffe le crâne... »

Margot a tenté d'en convaincre Caroline avant de quitter le bar :

— Tu me dis toi-même que Thierry est comme d'habitude. Tout ça relève de ton imagination, n'y pense plus !

En prononçant ces mots, elle s'est dit que rien ne l'exaspérait autant, autrefois, que d'entendre ceux qui ne voulaient pas la comprendre lui répéter : « N'y pense plus ! » à propos de ce qui l'angoissait le plus fort.

Si on était seulement capable de se déconnecter quand quelque chose vient à être source de tourments, alors personne ne souffrirait jamais. Ce serait le paradis sur terre ! Seulement voilà : quand une idée a fait son apparition, le ver est dans le fruit...

Caroline « s'en fait » : à tort ? à raison ? Peu importe, et, du coup, Margot aussi.

Les deux femmes ont rejoint Maria qui s'est levée de son drap de bain pour les inviter à s'y asseoir.

Mais elles demeurent debout et la phrase attendue sort des lèvres de Caroline :

— Où est Thierry ?

Maria fait signe qu'elle ne sait pas, mais les petites filles répondent toutes en même temps quelque chose de différent : « Il est allé faire du bateau »... « Papa veut qu'on l'attende là... » « Il a dit de le rejoindre à la pizzeria ! »

Amyette se met à pleurer. « Qu'y a-t-il ? » demande aussitôt Margot en s'agenouillant dans le sable pour être à sa hauteur.

— Je n'aime pas les en-soi...

— Les en-soi ?

Élise hausse les épaules :

— Elle veut dire les anchois !

— Mais il y a des pizzas qui n'en ont pas, dit Margot dont le cœur a sauté.

A quoi la petite fille a-t-elle fait écho avec son « en-soi » ? Que soupçonne-t-elle avec la pénétration de l'enfance ?

— Il y en a qui ont juste du jambon et du fromage... Tu aimes bien le jambon ?

— Avec toi, dit Amyette en entourant son cou de ses bras. Je veux y aller avec toi...

Mon Dieu, les protéger.

— Allons-y, dit Caroline, il nous attend peut-être... De toute façon, il faut bien déjeuner, et puis les petites ont pris assez de soleil pour aujourd'hui. Mélissa a le dos tout rouge. Viens ici que je te mette de la crème...

Tandis que Caroline étale la crème solaire sur le dos de sa fille, Maria replie le drap de bain qu'elle range dans un grand sac de plage d'où elle extirpe quatre paires de sandales : celles des petites, plus les siennes qu'elle enfile ; puis elle passe une légère robe d'été par-dessus son maillot deux-pièces. Elle est bien plantée, cette fille aux courts cheveux bruns, à la taille fine, aux jambes un peu lourdes, comme certains modèles de Maillol. Thierry n'a pu manquer de s'en apercevoir et... Mais où Margot a-t-elle la tête ?

A la rigueur on peut garder les enfants, mais pas les hommes. Non, pas les hommes !

CHAPITRE XI

En rentrant dans la vieille maison, Margot éprouve d'abord le sentiment du silence. Est-ce parce qu'il est l'heure de la sieste et que, par cette chaleur accablante, les plantes, les oiseaux, les insectes, tout repose ? Non, c'est autre chose, une espèce de sérénité, on dirait... — eh bien oui, c'est ça — qu'ici des humains s'entendent.

Lorsque c'est fait, en tout cas décidé, admis, il se passe alors cette chose étrange : on cesse de parler ! « Comme si l'échange de paroles n'était qu'un continuel procès, une infinie négociation... », songe Margot en poussant doucement la porte du salon.

On pourrait croire qu'ils somnolent tous deux, tant ils sont immobiles. En fait, son père, assis devant son bureau, la tête penchée, lit de près la dernière page de son journal local. Quant à Mme de Brizambourg, à demi allongée sur le divan, un coussin sous la tête, la main appuyée sur le magazine qu'elle vient de parcourir, tenant encore ses lunettes, les yeux au plafond, elle rêve.

— Alors, c'était bien, Salins-les-Bains ?

— Très bien, papa, dit Margot en se laissant tomber sur la chaise, face à lui.

— Les enfants sont en bonne santé ?

— Toutes roses et bronzées.

— Elles se baignent ?

— Elise nage déjà très bien, Amyette encore mieux, un vrai poisson ; il n'y a que Mélissa qui n'ose pas trop s'approcher de l'eau. Sa mère la prend sur son dos pour l'habituer aux vagues...

— Moi aussi, je te prenais sur mon dos, à Pontaillac.

— Et tu me disais de monter sur tes épaules et de plonger, j'avais une de ces peurs !

M. Pomerel sourit, ils l'ont vécu, même si cela leur paraît aujourd'hui fantastique. Tout ce qui touche à l'enfance est fantastique : le fait de grandir, par exemple, de prendre sans arrêt des centimètres... Vivre avec des enfants, c'est vivre au cœur d'un mystère.

— Pardonnez-moi, dit soudain Mme de Brizambourg, mais je m'endormais. On est si bien ici.

— C'est une vieille maison, murmure M. Pomerel.

Il y a de la mélancolie dans son ton ; peut-être regrette-t-il l'époque de Pontaillac, l'éclat de la lumière et cette brûlure du soleil sur la peau, qu'il ne supporte plus aujourd'hui, voire même, pense Margot, quelque chose de plus brutal encore et qui n'appartient qu'à la jeunesse : le sexe.

Rien ne dit qu'il n'y a plus de sexe à partir d'un certain âge, mais il n'est plus aussi farouche, autant dépourvu de pudeur, de considération pour les autres. Et elle, où en est-elle avec le sexe et la lumière ?

— Vous n'avez pas soif ? demande soudain Violette.

— Je boirais bien quelque chose, dit M. Pomerel.

— Je vais m'en occuper, répond Margot.

— Non, non, ne bougez pas, j'y vais, lance la vieille dame en se levant rapidement du canapé.

Une fois debout, elle fait une petite grimace, à cause sans doute d'un rhumatisme, d'une douleur au genou ou dans le dos, puis file vers la cuisine.

— Elle est charmante, dit Margot.
— Oui, répond M. Pomerel, elle me raconte ses voyages autour du monde. Comme ça n'est pas fini, je lui ai demandé de rester un jour de plus.
— Tu as bien fait.
Quelque chose en elle se détend, comme si elle se sentait moins responsable, soudain, de son père, de la solitude de son père. Une autre femme a pris le relais.
Avec Pierre, jamais personne n'avait le droit de prendre le relais. « Margot est d'une jalousie féroce », disait-il en riant. Il en était fier, le paraissait en tout cas. « C'est qu'elle mordrait », ajoutait-il. Et Margot, entrant dans le jeu, montrait les dents et grondait sourdement, comme une chienne.
Ça n'était qu'un jeu. Qu'y avait-il eu de « vrai » dans son union avec Pierre ? Leur rencontre ? Leur vie de couple ? Ou leur séparation ?
— Tu as vu Thierry ? demande doucement M. Pomerel.
C'est vrai qu'elle ne lui en a pas encore parlé.
— Il est arrivé au moment où je partais, il faisait de la voile.
— Ah.
Instant de réflexion.
— Tout seul ?
— Caroline n'apprécie pas trop la navigation. Et puis, tu sais, sur ces petites embarcations, on est mieux seul.
— Je n'aurais pas aimé ça...
— Toi, tu n'aimes pas la solitude !
— L'homme est fait pour vivre en société, énonce le vieux monsieur en repliant son journal. Tu as vu, ils ont décidé de faire une rocade autour de Saintes pour alléger la circulation. Ça va leur coûter un tonnerre d'argent...
Aucune nouvelle ne lui échappe, c'est sa façon à lui de vivre en société, de n'en pas démordre.

Violette revient en portant un plateau un peu vacillant que Margot s'empresse de lui retirer des mains.

— Vous vous en donnez un mal, ma chère amie, vous devriez ne rien faire et vous reposer, dit M. Pomerel en tendant le bras vers son verre de menthe à l'eau.

— Mais, Séverin, cela ne m'ennuie pas.

C'est vrai qu'elle est rayonnante.

— Si vous voulez, pour ce soir, je vais vous faire une petite blanquette, vous aimez ça ?

— Bien sûr, mais vous allez vous fatiguer !

— Pas du tout. Il faut seulement que j'aille jusque chez le boucher...

— Dites-moi ce qu'il vous faut, dit Margot, je vais aller l'acheter.

— Non, non, dit Mme de Brizambourg, il faut que j'y aille moi-même, je ne sais pas comment s'appelle le morceau que je veux.

Elle refuse de se laisser retirer une parcelle de son plaisir !

« C'est peut-être ça, le sexe, aller jusqu'au bout de soi, de sa fatigue, de son corps, en quelque état que soit ce corps, où que se situe la limite de la fatigue... »

Et elle, où en est-elle ?

— Je monte.

— C'est ça, va te reposer ! dit M. Pomerel comme s'il la congédiait.

« Va te reposer », c'est une expression courante de son père et Margot en éprouve soudain de l'agacement : insidieusement, sans qu'il s'en rende compte, le vieux monsieur essaie tout le temps de les limiter, que ce soit elle ou Violette, de les empêcher d'aller jusqu'au bout de leur effort, de leur désir, en somme de les châtrer.

Pour les rendre asexuées, d'une certaine manière, et mieux se les garder ?

« Repose-toi, disait-elle à Pierre, n'en fais pas trop ! »

Le regard qu'il lui lançait alors ! Noir, irrité. Cet homme jeune avait manifestement envie d'en faire « trop ».

Aurait-elle dû lui dire : « Vas-y, sois extrême, tue-toi ! » ? Est-ce ça, le véritable amour : pousser les gens à exaspérer leurs passions ?

Pour ensuite fermer les yeux, comme elle l'a elle-même conseillé à Caroline : « Thierry ne te dit rien ? Alors, fais comme si tu ne t'apercevais de rien, vis ta vie à toi, sois charmante... Tu verras, ça va passer... »

C'est aussi ce que répète M. Pomerel à propos du moindre malaise, d'un rhume, d'un mal de tête : « Ça va passer ! »

Sous-entendu : tout va redevenir comme d'habitude.

Le désir serait-il une maladie ?

Alors la vie entière en est une, puisqu'elle est sous-tendue par l'envie permanente d'échanger ce qu'on est ou ce qu'on a contre *autre chose*.

Qui, de Pierre ou d'elle, a cédé le premier à ce qui les a détruits, cette pernicieuse envie d'« autre chose » ?

CHAPITRE XII

Le jour où Pierre lui avait en quelque sorte accordé sa liberté, du moins celle de rêver, Margot l'éprouva sur l'instant comme un jour de joie.

Tous deux arpentaient l'avenue Montaigne par l'une de ces journées de printemps où Paris, à l'époque non asphyxié par la circulation, resplendissait comme le lieu le plus civilisé qui soit au monde. Trottoirs entièrement réservés aux piétons, agrémentés de terrasses fleuries, marronniers vivaces, vitrines de luxe, vieilles boutiques poétiques, passants conscients d'être la parure et la raison d'être de la rue.

Pierre avait passé son bras autour des épaules de sa femme et ils remontaient l'avenue dans la légèreté de leurs jeunes corps, la démarche bien rythmée, joyeux d'aller ensemble vers l'avenir. A deux, c'est tellement plus rassurant, l'aventure ; là est l'avantage d'être un couple, on s'y tient compagnie. Caroline n'était pas née.

— Ce matin, Nicole m'a téléphoné du Midi...

Margot s'est mise à parler pour être avec lui dans la parole plus que pour lui fournir l'information, sans importance à ses yeux.

— Ah oui, que dit-elle ? Tiens, tu as vu ce chien, toiletté comme un lion ?

— Et tu as vu la dame au bout de la laisse ? Quelle classe !
— Moins que toi, mon amour...
— C'est sans doute pour ça qu'elle s'habille chez Dior, pour tenter de m'égaler !
— Le costume, je m'en moque, mais j'aimerais que tu portes ces talons aiguilles, ça doit t'aller superbement. Viens, je vais t'en acheter une paire.
— Oh non, pas ici, c'est trop cher... J'ai repéré une boutique au Lido !
— Quelle coquine tu fais... Allons-y !
Pendant le trajet, Margot reprend la conversation :
— Elle m'invite à venir passer dix jours avec elle et son mari sur leur nouveau bateau, ancré à Saint-Raphaël.
— De qui parles-tu ?
— Mais de Nicole... Tu sais bien, mon amie d'enfance, ils ont l'intention de s'installer là-bas et elle a envie que je vienne voir leur future habitation.
— Vas-y !
— Moi ? Sans toi ?
— Écoute, ça tombe bien, je dois justement faire un saut en Irlande pour la boîte, j'allais t'en parler, j'étais ennuyé à l'idée de te laisser seule.
— Mais je peux t'accompagner en Irlande.
— Je vais voir des hommes d'affaires à Dublin, ta présence paraîtrait bizarre et je serais obligé de te laisser seule à l'hôtel. On ne rigole pas, en Irlande, ça n'est pas Paris, ni le Midi...
— Ce sera la première fois qu'on se quitte !
— On ne se quitte pas ! Toi et moi, on ne se quitte jamais. Tu me raconteras tout ce que tu as vu, et moi tout ce que j'ai fait. Tel Argus aux cent yeux, nous allons multiplier notre expérience l'un par l'autre, nous serons partout !

Le pire, c'est qu'elle en a envie ! Nicole lui a parlé d'aller jeter un coup d'œil sur Saint-Tropez qui commence d'être terriblement à la mode et que Margot ne connaît pas.

Elle a envie d'un nouveau soleil, d'une nouvelle robe dans ce lin vert Nil aperçu au Prisunic des Champs-Élysées.

Et aussi de la paire de chaussures à talons aiguilles que Pierre tient à choisir lui-même, longuement, avec la complicité de la vendeuse. Margot les garde encore dans un fin fond de placard, ces escarpins de daim noir à la ligne pure qui se distinguent par l'incroyable ténuité de leurs talons d'acier.

(Interdits dans les musées dont ils crevaient les parquets.)

Caroline les avait dénichés, une fois, et s'était exclamée : « Maman, tu marchais avec ça ! Ça n'est pas possible ! Regarde, moi je me casse tout de suite la figure ! »

Comme toutes les filles de sa génération, Caroline a été élevée en baskets et en ballerines.

Elle n'a pas connu la volupté, dans la rue, de soudain se découvrir des jambes interminables sous le regard des hommes, ni d'esquisser avec féminité un pas de côté pour éviter de se ficher dans les grilles au pied des arbres. Ni cette note plus basse dans la voix d'un amant qui souffle, tandis qu'on se déshabille : « Garde tes chaussures. »

Ce que Pierre lui avait dit, à peine rentrés chez eux, dans leur petit appartement du cinquième sans ascenseur.

Ont-ils conçu Caroline ce jour-là ?

Margot se rappelle distinctement avec quelle force, pendant l'étreinte, elle s'est vue évoluant à Saint-Tropez dans la robe vert Nil de Prisunic, drainant tous les regards.

Elle ne pensait pas un instant à tromper Pierre. Mais comment s'empêcher de rêver quand on est jeune et jolie ? Lui-même, son mari, ne la poussait-il pas à la séduction, dont il était le premier à lui fournir l'arsenal, ces chaussures de vamp ?

Reste que tout le monde en portait, à l'époque ! Et puis, il les a achetées pour lui, à l'usage exclusif de ses fantasmes.

A propos, qu'étaient les fantasmes de Pierre ?

Il lui avait raconté, au retour, ce qu'il avait fait à Dublin, mais pas ce qu'il avait vu ni rêvé le temps du voyage, et qui lui avait donné cet air plus mâle, ces yeux légèrement creux.

Margot s'était précipitée dans ses bras au moment de leurs retrouvailles, comme si elle rejoignait son port, son double, sa sécurité, son amour.

En même temps, il lui avait paru que Pierre n'était plus tout à fait le même, ce qui lui avait causé une sorte de surprise légèrement douloureuse : que se passait-il ?

Cependant, elle n'avait pas protesté, pas réagi. C'est si lourd, la possession amoureuse, si intolérable.

Pierre la lâchait. Lâchait prise.

Margot, assise sur le vieux fauteuil d'osier, à l'abri de la véranda, se rejette en arrière. Son père et Mme de Brizambourg, qui ont préféré, après le café, demeurer au salon, se sont tus. Sans doute font-ils un brin de sieste. C'est un bonheur, là aussi, de s'endormir non loin l'un de l'autre.

Margot allonge ses mains sur les bras du fauteuil, elle porte toujours son alliance. Au début, elle l'avait gardée pour Caroline, afin que la petite fille conservât bien son statut d'enfant légitime, aux yeux des autres, même si sa mère ne vivait plus avec son père.

Avec le temps, Margot s'est aperçue qu'elle y tenait pour elle-même, à ce fragile symbole, premier anneau de la chaîne légale qui cherche tant bien que mal à unir les hommes aux femmes.

CHAPITRE XIII

M. Pomerel est tout sourire tandis qu'il aide Mme de Brizambourg à remonter en voiture pour que Margot la ramène à la gare ; il lui fait ses adieux à voix forte.

La portière refermée, le vieil homme regagne d'un pas précautionneux le porche de la maison, puis se retourne pour vérifier si elles sont bien parties. Margot, qui manœuvre encore pour décoller du trottoir, surprend sa physionomie : en contraste total avec ce qu'il affichait une seconde auparavant, le visage de M. Pomerel s'est désolé. Les traits n'expriment plus rien, les yeux se sont vidés, la peau paraît inerte ; d'un seul coup, cette tête d'homme si bien découpée n'existe plus pour personne !

Dès qu'il s'aperçoit que les voyageuses sont encore à portée de regard, M. Pomerel reprend tout son allant, et à Violette qui agite la main derrière la vitre, il répond en brandissant vivement sa canne. Mais à peine se juge-t-il hors de leur vue — Margot le constate dans le rétroviseur —, son père retombe dans quelque chose de pire que la mélancolie : l'absence à soi-même.

En sera-t-il autant pour Violette, une fois de retour à Royan et à sa solitude ?

Pour l'heure, la vieille dame pépie comme un oiseau. Jacasse, même.

— Où ai-je mis mon billet de retour ? Ah, et ma canne ? Je me demande si je n'ai pas laissé mon flacon d'eau de rose dans la salle de bains... Ce n'est pas que ça ait de l'importance. Et mon châle ? Il doit être accroché dans l'entrée...

— Ne vous inquiétez pas, rien n'est perdu.

— Tiens, une boutique neuve, qu'est-ce qu'ils vendent là ?

— Des fringues, il n'y a plus que ça !

— Oh, le joli petit garçon tout blond avec sa maman ! Vous avez vu ?

Violette ne parle ni du passé, ni de l'avenir, comme si les deux la faisaient souffrir et qu'elle préférait se cantonner dans cette mince tranche de présent où elles se trouvent ensemble.

Margot a pitié. Ou plutôt compassion, car la pitié s'adresse à la souffrance avouée. (Ce qui permet d'ailleurs de réclamer de l'aide : « Ayez pitié de moi, mon Dieu ! ») Tandis que la compassion accompagne la douleur ignorée, celle qu'il est si difficile d'approcher, puisqu'elle n'est pas reconnue, mais parfois niée.

— Vous savez, Violette, papa a été très heureux de votre séjour ici, et moi aussi.

— Vous êtes bien gentille. J'espère que je ne vous ai pas trop dérangés !

Quelle coquette !

— Comment pouvez-vous dire ça ?... C'était un bonheur de vous avoir chez nous, vous apportez tellement de gaieté dans la maison.

— Moi ?... Je...

La voix s'enroue. Un petit mouchoir roulé en boule fait son apparition, joint à un toussotement de convenance.

— C'est que nous avons tant de passé en commun, votre père et moi.

— Et tant de présent, chère Violette.

C'était le mot qu'il fallait, Margot le sent tout de suite ! Un coup de génie ! Le corps tassé se redresse.

— Vous croyez ?

— Bien sûr. D'ailleurs, pourquoi ne revenez-vous pas la semaine prochaine ?

— Mais votre papa, qu'en penserait-il ?

— Écoutez, Violette, il me l'a dit hier : « Crois-tu que Mme de Brizambourg accepterait d'abandonner sa vie mondaine de Royan pour venir séjourner quelque temps ici, dans nos vieux murs ? »

— Il vous a dit ça ?

Esprit du mensonge, soutiens-moi !

— Il n'ose pas vous le demander, il a peur de vous mettre dans l'embarras, alors je le fais à sa place.

Cela, c'est tout à fait vrai !

— Mais je... C'est curieux comme Séverin me croit incapable de rester dans le calme ! Au fond, pourquoi pas ? J'ai un rendez-vous vendredi chez le dentiste, mais après, eh bien, ce doit être tout à fait possible... Il y a juste ma location...

— Vous devez pouvoir l'abandonner sans trop de perte ; par ce beau temps, les agences ont beaucoup de demandes qu'elles n'arrivent pas à satisfaire.

— De toutes façons, ça n'a pas une telle importance...

— Alors, c'est dit ? Je viens vous chercher lundi avec la voiture pour vos valises ! Non, dimanche, il y a moins de monde sur les routes.

Pourquoi lambiner ? A leur âge, ils n'ont pas une minute à perdre.

Elles viennent d'arriver à la gare et, avant de descendre de voiture, Mme de Brizambourg se tourne vers Margot. Les joues roses, elle arbore à nouveau un sourire radieux, comme si Margot venait de lui rendre la vie.

« Ça n'était pourtant pas difficile... Ils en mouraient d'envie tous les deux, mais ils étaient incapables de trouver les mots ! On dirait des adolescents ! »

Une fois de retour, Margot va droit au salon où elle devine que son père s'est réfugié. Il s'agit de préserver les pudeurs.

— Papa, j'espère que cela ne va pas t'ennuyer...

— Quoi donc ? dit M. Pomerel d'un ton dépourvu de toute curiosité.

Il est assis derrière son bureau où règne un ordre strict, « au carré », celui de quelqu'un qui vient de passer une grande demi-heure à ranger sa calculette, ses ciseaux, sa règle, son plumier, son encrier de lycéen, son sous-main, son bloc-notes, son agenda, son papier à écrire, son stylo, ses pointes Bic, ses crayons, son courrier à répondre, son courrier répondu, et qui, une fois le travail fait, a aussitôt recommencé !

— Eh bien, je me suis permis d'inviter Mme de Brizambourg à venir terminer le mois d'août ici, chez nous.

Moment de sidération, puis reprise d'autorité :

— Tu as bien fait.

M. Pomerel relève la tête, qu'il avait gardée baissée en direction de son bureau, pour jeter vers sa fille un coup d'œil en biais, superbe de dissimulation innocente.

— Qu'a-t-elle dit ?

— Elle a dit oui. Je dois aller la chercher dimanche et je la ramènerai ici avec ses bagages.

— Je t'accompagnerai, tu peux compter sur moi, lance M. Pomerel d'une voix martiale, comme s'il venait de prendre la décision de lui rendre service à elle, Margot !

CHAPITRE XIV

L'été, la Saintonge s'enfonce dans la somnolence.

En toutes saisons, le pays est calme, ce que reflète — en quelque sorte par omission — l'histoire de la France. Point de révolution débutée au bord de la Charente, nulle émeute ou révolte couvée sous ses vignes, pas l'ombre d'un mouvement séparatiste en vue... Est-ce parce que ce doux pays plat, d'accès facile à l'invasion, qu'elle soit guerrière ou touristique, est depuis toujours une plaque tournante, un lieu privilégié pour la rencontre et la fusion ? On y est tolérant à la « différence », souple aux mutations politiques, bon enfant face à l'envahisseur.

En réalité, muré. Chacun replié sur son for intérieur, sachant tenir sa langue, courtois avec l'« étranger », certes, mais à tout jamais distant. Enchaperonné d'un humour discret qui rappelle, à qui possède l'oreille fine, que l'Anglais fut longtemps occupant, propriétaire même. (Bien des noms de lieux font écho à la présence insulaire : Saint-James, Tonnay-Charente, Tonnay-Boutonne — dérivés de *town* —, et certaines coiffes paysannes emprisonnant les joues se nomment quichenottes — *kiss me not*). Depuis les temps les plus reculés, face aux Romains, aux Espagnols, aux Arabes, avant les Anglais, puis les Allemands, il a fallu s'adapter.

— Tu vois l'avenue principale, répète M. Pomerel à Margot, celle qui traverse Saintes de part en part pour aller de Paris à La Rochelle ? Eh bien, elle s'est appelée le Cours Royal, ensuite le Cours Impérial, pendant la guerre l'avenue Pétain, à la Libération l'avenue du Général de Gaulle, puis... je ne sais plus quoi ! On a fini par en avoir marre de la débaptiser pour la rebaptiser et elle se nomme désormais Cours National. Comme ça, on est bien tranquilles...

Être tranquille, mot saintongeais par excellence !

Qu'on en juge : l'animal totem, ici, c'est la cagouille, vocable régional pour désigner l'escargot. C'est dire l'agressivité ! Toutefois, comme on a de l'orgueil et de l'esprit, on corrige par une boutade la mauvaise impression : « L'escargot ? Ah, bien sûr, il ne va pas très-très vite, en plus il ne se presse pas, que non ! » — cela, proféré d'un ton chantant, bonhomme. Soudain, la voix change pour se faire quasi menaçante : « *Mais il ne recule jamais !* »

Il fallait y penser !

On ne s'en prive pas sous les platanes, et sans doute est-ce pour cela que rien ne se dit ni se fait ici d'excessif. Tout est distillé, jusqu'au jus de cette vigne qui se déguste non pas d'une année sur l'autre, comme le vin, mais sous la forme séculaire, alambiquée, on pourrait dire sublimée, du cognac.

Et qu'on ne s'y trompe pas ; même au cœur de la chaleur la plus étouffante, on « travaille » sans cesse, par ici. A l'instar du nectar qui paraît dormir à l'ombre de ses fûts, de ses cuves, de ses tonneaux, défendu de l'inquisition par un épais réseau de toiles d'araignées respectueusement conservées, et qui, en fait, est à l'œuvre.

Margot, après le déjeuner, s'est assise à lire au jardin, à l'ombre du cupressus. En elle aussi, l'été saintongeais agit et son journal tombe à ses pieds.

Depuis que Mme de Brizambourg a transporté chez

eux ses pénates, elle s'interroge. Que s'est-il passé autrefois entre ces deux-là ? Liaison mondaine ? Vraie passion ? Rencontre sans lendemain qui se concrétise aujourd'hui ? Serait-ce la première fois qu'ils vivent ensemble sous le même toit ?

Le soir, montée se coucher avant eux — on dort moins avec l'âge —, une fois la télévision éteinte, elle les entend qui chuchotent tard dans la nuit. Parfois, la voix régulière de l'un d'eux monologue pendant plusieurs minutes. Margot a fini par comprendre qu'à tour de rôle ils se font la lecture : du journal, d'une page de livre, d'une lettre reçue... Ils tiennent à partager ce qui les amuse ou les préoccupe.

Elle, avec Pierre...

Mais pourquoi la vision de Mme de Brizambourg et de son père la ramène-t-elle au souvenir de son propre couple ? Pierre et elle, si jeunes, ne pouvaient tout de même pas se contenter de ce qui satisfait ces deux-là : l'assurance constante d'une présence.

Il leur fallait...

Soudain, Margot ne se souvient plus bien de ce qui les a fait diverger. Ils ne se sont pas véritablement disputés, jamais lancé vaisselle ou oreiller à la figure, ni même des mots malsonnants. Elle se rappelle d'ailleurs l'étonnement sans mesure de leurs proches à l'annonce du divorce.

— Mais que se passe-t-il ? Pourquoi ? Vous aviez l'air si bien ensemble ?

— On ne s'entend plus.

Cela n'était pas tout à fait vrai, puisqu'ils s'entendaient parfaitement pour divorcer !

Margot contemple une branche du bignonia en fleur doucement balancée par la brise de l'après-midi, et soudain elle comprend : ils avaient tous deux envie d'aller voir ailleurs !

Et c'était déjà commencé : Pierre la trompait — elle aussi ! Tous deux le savaient et n'en parlaient pas. A ce propos, lequel avait trahi l'autre le premier ?

Pierre avait été jusque-là son seul amant.

Margot se souvenait d'avoir dit à sa meilleure amie, lorsqu'elle était adolescente : « Mais comment peut-on n'aimer qu'un seul homme toute sa vie ? »

Question sans réponse, ou plutôt la vraie question.

Chaque fois qu'elle avait lu la biographie d'un homme ou d'une femme célèbres, elle avait pu constater que ce qui gouverne l'existence des grands de ce monde, l'essentiel, ce sont leurs aventures amoureuses.

Merveilleuses, affreuses, coupables, désespérées, dramatiques.

A croire que l'humanité n'existe que par l'intensité de ses passions. Comme de ses reniements... Tous trompeurs ou trompés. Alternativement. Ou en même temps.

Comment Pierre et elle auraient-ils pu échapper à la loi commune ? Que celui qui n'a jamais trompé leur jette la première pierre.

Une peau, une odeur nouvelles. Un corps nouveau. Pas seulement le corps de l'autre, le sien propre.

Là aussi, Margot, adolescente, avait eu une intuition qui l'avait submergée : se regardant dans la glace, quand ses seins commencèrent à pousser, elle s'était brusquement demandé : « Toute ma vie je vais donc devoir garder les mêmes traits, la même physionomie ? N'avoir qu'un seul corps : celui-là ? » Et elle avait ressenti comme une immense déception.

Eh bien, ça n'était pas vrai ! Elle s'était aperçue avec bonheur, des années plus tard, qu'en changeant de désir, on change aussi de corps, de forme — et que c'est ça, la merveille de l'amour !

Comme le secret de l'infidélité : quand on en a marre d'être soi-même, il suffit d'entrer dans un nouveau désir pour se réveiller avec une autre âme !

Pour Pierre, elle était Margot, rien que Margot. Quelqu'un de sûr, de direct, de travailleur, une sorte de bloc compact, et si semblable à lui que c'était à douter qu'ils fussent de sexe opposé.

Soudain, pour Grégoire, ce séducteur, cet homme de quarante ans un peu veule, cet habitué des femmes, elle avait été Marguerite !

Margot, qui jugeait très vite un être, l'avait immédiatement méprisé, mais elle s'était laissé avoir par cette image si féminine qu'il lui renvoyait d'elle.

Marguerite, la Marguerite que Grégoire avait décelée en elle, ou fait naître comme par mutation, avait de longs cheveux auburn (elle les laissa pousser) et non plus cette tignasse ébourriffée qu'elle coiffait avec ses doigts, elle avait le goût de la lingerie fine, celui des fourrures, des mains qui portaient bien les bagues, la voix rauque dans l'amour, la capacité de perdre conscience, ou presque, sous certaines caresses à peine appuyées, mais si longues.

Quand elle rouvrait les yeux, elle découvrait penché sur le sien le visage déjà vieilli et le sourire fat de cet homme qui se prenait pour un expert en érotisme. Capable de révéler à chacune ce que son légitime propriétaire avait laissé en friche.

Du coup, il se sentait supérieur à tous les hommes et s'en vantait.

Margot — et non plus Marguerite — vomissait cette prétention : Grégoire n'était pas plus viril que Pierre sous prétexte que, techniquement, il lui faisait mieux l'amour. D'ailleurs, elle ne l'aimait pas. Quelle comédie ! Tout cela était faux.

Mais son plaisir était vrai.

CHAPITRE XV

— Tu te rends compte, me laisser toute seule comme ça, m'abandonner en plein mois d'août !

— Mais tu n'es pas toute seule, il y a les enfants et puis il y a nous, moi, ton grand-père...

— Je sais bien, mais je suis seule quand même !

« Je sais bien, mais quand même... » — l'antienne des gens butés sur leurs positions, qu'aucun raisonnement, aucune consolation n'atteignent.

Quand Caroline a débarqué sans prévenir, vers les six heures, tenant Mélissa par la main, Élise et Amyette pressées derrière elle, le chien suivant la queue basse, avant même que sa fille n'eût ouvert la bouche, Margot avait compris qu'il se passait quelque chose dans son couple...

Ou plutôt elle l'a « vu » : Caroline était raide, le geste brusque, d'énormes lunettes noires lui mangeant la figure, la bouche dure. Quant aux petites, chacune serrait trop fort sur son cœur sa peluche ou sa poupée. Oui, il y avait du drame conjugal dans l'air...

— Quelle bonne surprise !

— Je suis venue voir si tu pouvais nous coucher.

— Mais bien sûr, mes chéries, avec joie... Mais pourquoi n'as-tu pas téléphoné, vos chambres seraient prêtes, il va y avoir quelques aménagements à faire : Mme de Brizambourg réside chez nous, en ce moment.

— On peut coucher toutes les quatre dans le même lit.

— Ça n'est pas ce que je veux dire, il y a bien assez de place pour tout le monde ! Il faut seulement déplier un petit lit pour Mélissa et mettre des draps.

— Je veux coucher dans le petit lit, s'écrie Amyette qui s'est remise à sucer son pouce.

Pourquoi diable Margot leur a-t-elle parlé tout de suite de Violette, comme si leur place était prise, en effet ! Mais elle se devait de les prévenir pour qu'elles ne s'étonnent pas de se trouver soudain face à la dame.

— C'est votre grand-père qui va être content, allez vite le retrouver, il est au jardin, il arrose les plantes.

Triple cavalcade dans le couloir, exclamations de joie et d'étonnement des « vieux », ponctuées des cris aigus de qui se taquine avec le tuyau d'arrosage. Abois excités du chien.

Caroline reste avec Margot qui l'entraîne dans le bureau.

— Que se passe-t-il ?

— Rien. J'avais envie de vous voir... J'ai profité de ce que Thierry est retourné à Paris.

— Pour longtemps ?

— Huit jours. Sa boîte l'a rappelé. Il m'a dit qu'un type est tombé malade, qu'il n'y a que lui pour le remplacer.

Cela arrive, ces choses-là, dans la vie d'entreprise.

— Ne t'en fais pas, ils lui donneront sûrement huit jours de vacances cet hiver pour rattraper. Comme ça, vous irez faire du ski.

— Maman, il me trompe !

Le cri a fusé.

— Enfin, Caroline, Thierry ne s'est quand même pas rappelé lui-même...

— Je n'étais pas là quand il a reçu le coup de fil... Je ne vais pas téléphoner à son chef pour vérifier.

— Il ne vaut mieux pas, en effet. Pourquoi penses-tu ça ?

— Il avait l'air gêné... Et puis il m'a dit : « Je t'appellerai ce soir en arrivant, si je peux ! » Et aussi : « J'espère revenir la semaine prochaine, mais ça n'est pas sûr... »

— Je ne vois rien là-dedans de révélateur, il est embêté de te quitter à l'improviste et il a préféré te prévenir pour le cas où ça devrait se prolonger...

— Et pourquoi ne peut-il pas m'appeler dès son arrivée ?

— Pour ne pas te déranger... Il est tard et il sait que toi et les enfants vous vous couchez tôt ! Crois-moi, Caroline, un mari qui trompe sa femme n'est pas avare de coups de téléphone rassurants ! C'est bon signe, au contraire, qu'il ne te ménage pas...

— De toute façon, il ne me trouvera pas.

C'est donc pour ça qu'elle est venue ici, pour que le téléphone sonne dans le vide !

— Et Maria ?

— Elle a des amis à Pontaillac, je lui ai donné la permission d'aller passer la nuit chez eux, elle était ravie.

Stratégie bien combinée ; l'amour c'est forcément la guerre.

— Et alors ?

— Alors quoi ?

— Il va s'inquiéter, ce pauvre garçon, s'il ne parvient pas à vous joindre... Avant de prévenir la gendarmerie, j'espère qu'il pensera à téléphoner ici !

— Maman, je t'en supplie, ne lui dis pas qu'on est là !

— Tu es folle ou quoi ? Tu veux que je laisse un père se demander ce que sont devenus sa femme et ses enfants ? Et dans quel but ? Qu'espères-tu de cette... comédie ?

Margot sent qu'elle y va fort, mais il faut tout de même que Caroline se réveille, revienne au réel. Mais quel réel ? C'est peut-être vrai, après tout, que son mari la trompe.

— Maman, maman, je suis toute mouillée...

Mélissa accourt dans la pièce entre le rire et les larmes.

— C'est Amyette, elle a pris le jet de grand-père, et poum sur moi...

Et, comme si l'accusation ne suffisait pas, elle regarde sa mère entre ses longs cils et jette d'une voix plus basse, en faisant traîner les syllabes : « Exprès... »

Dans l'univers des enfants, il y a deux catégories d'actes bien distinctes : ce qui est fait « exprès », lequel est très grave, et ce qui n'est « pas fait exprès », qui l'est un peu moins.

Thierry a-t-il fait « exprès » de jeter Caroline dans le désarroi ? Ou « pas exprès » ?

Margot continue à penser que s'il la trompait vraiment, c'est-à-dire de façon délibérée, il se montrerait plus habile. C'est même ce qui caractérise l'infidélité, au début : que la personne trompée n'y voit goutte au point de s'exclamer, quelque temps plus tard : « Et moi qui ne me doutais de rien ! Ah, il (elle) m'a bien eu(e)... Il (elle) était même tellement plus attentionné(e) que d'habitude... »

La première fois que Pierre lui a offert un bijou de valeur, une petite bague d'un grand bijoutier, il l'avait emmenée au restaurant et quand elle a découvert l'écrin sous sa serviette, quelle joie, elle en avait les larmes aux yeux !

Et lui la regardait de l'autre côté de la table, tentant de la calmer, de mettre une sourdine à ses exclamations. Comme si Margot en faisait « trop » ! Mais non, a-t-elle pensé plus tard, ça n'était pas elle qui en faisait trop à ce moment-là, c'était lui !

Et si Pierre avait préféré aller au restaurant pour lui faire ce cadeau, c'est qu'il comptait justifier sa gêne (la vraie) par celle (la fausse) que lui causait Margot en manifestant sa joie en public.

Cette bague, elle l'avait tellement aimée avant de découvrir ce qu'elle signifiait et de la reléguer au coffre, d'où elle la sortirait un jour pour l'offrir à Caroline ! Heureusement qu'elle ne l'a pas encore fait, elle se dirait maintenant que c'est elle qui a porté malheur à sa fille, la bague de la trahison !

Ce qu'on peut être superstitieux en amour ! Il faut dire aussi que tout vous échappe.

— A ta place, Caroline, je téléphonerais tout de suite à Paris avant que Thierry ne soit arrivé. Votre répondeur est branché ?

— Oui.

— Tu lui dis que tu es ici, chez ta mère, que tu espères qu'il est bien arrivé, mais que tu préfères qu'il ne te rappelle pas, à cause de ton grand-père qui s'endort tôt. Comme ça, tu es en règle et tu as le temps de réfléchir jusqu'à demain.

— En règle !

— Eh oui, en règle ! Le mariage est un contrat, d'assistance en particulier, et le premier qui manque au contrat se retrouve en tort... Autant que ce ne soit pas toi.

Qui, le premier, a poignardé le contrat, d'elle ou de Pierre ?

— Maman, je préfère que ce soit toi qui appelles...

— Moi, pourquoi ?

— Thierry connaît ma voix, il va sentir que j'ai pleuré, que je ne suis pas dans mon assiette et il rappellera...

Être à la fois si proche et si loin l'un de l'autre, c'est cela le vrai drame des couples !

« Il me connaît tellement bien, il sait exactement où me faire mal ! » Ces longues nuits de tendre exploration d'un corps, morceau après morceau, centimètre après centimètre, extase après extase, c'est donc à cela que ça conduit ! A chercher, trouver, enregistrer les sites les plus vulnérables, en vue de la guerre future ?

Pour frapper plus sûrement, à coups mortels.

Margot a froid, tout à coup.

— Entendu, je vais donner un coup de fil pour toi, ensuite on va préparer les lits et le dîner.

— Merci, maman, tu es bonne.

— Non, ma chérie, je t'aime, c'est tout.

Caroline tressaille sous le mot et Margot ajoute :

— Thierry aussi t'aime, j'en suis sûre...

— Je sais, maman, c'est pour ça que c'est si dur.

CHAPITRE XVI

« Ce doit être la chaleur qui rend les gestes plus lourds et plus brutaux », songe Margot. Les pires violences ont lieu l'été.

Toute la maisonnée roule à deux voitures : la sienne, dans laquelle sont montées les deux aînées, plus Mme de Brizambourg, et la Renault où Caroline a invité son grand-père : « Tu vas voir, ça te plaira, les sièges sont perchés et on domine bien la route ! » Mélissa, la plus petite, est également montée dans la Renault où elle possède à l'arrière un petit fauteuil à sa taille, bien ceinturé.

C'est M. Pomerel qui a décidé du but de l'expédition : Pons, sur la route de Bordeaux. Il se souvient d'un château — mais le retrouvera-t-il ? — qui appartenait à des amis d'autrefois... Y vivent-ils encore ?

— Les châteaux restent, les propriétaires passent ! lance Caroline.

M. Pomerel a un de ces sourires malins qui réconfortent Margot : les gens n'ont plus comme lui l'art de s'amuser avec les mots, les idées, surtout la conversation, la seule chose, pourtant, qui ne vous lâchera pas avec l'âge.

— Pour ce château-là, tu te trompes, il a changé de place ! Imagine-toi qu'il a fait une vingtaine de kilomètres !

— Pas possible !

— Je t'assure que si ! Au début du siècle, celui qui l'a acheté n'a pas aimé son emplacement en plaine, ni sa disposition rectiligne. Il l'a fait détruire et reconstruire au cœur d'un vallon boisé et il lui a donné la forme d'un U...

— Il l'a démantibulé !

— Au contraire, il est beaucoup mieux qu'avant... Mais comment s'appelle-t-il, crénom !

« En été, se dit Margot, on n'a pas de projets, on égrène les journées les unes après les autres, comme on tourne des pages blanches où il est loisible d'écrire ce qu'on veut... Rien, si on préfère. »

Elle se souvenait de cet été-là. D'un commun accord, Pierre et elle avaient décidé qu'il ne se passerait justement rien, l'année avait été trop rude, sournoisement tendue, « stressée », comme on dit maintenant, et ils avaient choisi de partir aux Bahamas. « Comme les riches amerloques ! » avait dit Margot aux amis qui s'étonnaient.

Caroline, cinq ans, avait été confiée à sa grand-mère maternelle, laquelle vivait encore à l'époque et louait tous les ans un petit appartement en bordure de la côte normande. La jeune fille au pair, en qui ils avaient toute confiance, assurerait la surveillance de l'enfant. Aucun souci à se faire.

Dans les autres domaines non plus. L'affaire de Pierre avait remarquablement marché cette année-là — c'était le début de l'expansion ; quant à elle, Margot, elle venait d'être promue dans son entreprise. Ils n'avaient qu'à se « laisser vivre ».

En réalité, en plus de leur léger bagage d'estivants, ils emmenaient à leur insu un lourd, un encombrant fardeau : leur mésentente.

— Votre papa est merveilleux, répète Violette à ses côtés, il a toujours envie d'autre chose ! Et puis, il connaît tout, il m'a fait un exposé, ce matin, sur Pons et ses environs, ce qui s'y est passé au début du siècle et bien avant, j'étais soufflée ! Ah, on ne s'ennuie pas avec lui !

Déjà, dans l'avion, Pierre et elle avaient commencé à peser l'un sur l'autre. Margot s'était même dit, au bout de quelques heures, qu'eût-elle entrepris ce voyage seule, elle l'aurait mieux apprécié.

Cela tient parfois à des broutilles, ce qui vous énerve chez un être. La façon, par exemple, dont Pierre avait tout mis en œuvre pour charmer l'hôtesse de l'air afin qu'elle s'occupe par priorité de lui et de ses besoins ! Son manège, qu'elle connaissait par cœur, avait exaspéré Margot. Y avait-il vraiment de quoi ? Non, mais n'appréciait pas de le voir exercer sa séduction sur une autre femme, même pour obtenir un whisky et de la lecture.

A Pons, ils ont garé les deux voitures en face du gros château central, devenu l'hôtel de ville, et, mourant de soif à cause de la chaleur si forte encore à cinq heures de l'après-midi, ils commencent par aller s'attabler à la terrasse du grand café qui attend les touristes.

Avec détermination, M. Pomerel attrape une serveuse par le bras et, après quelques phrases engageantes, lui passe commande : des glaces, des boissons. Au lieu de s'agacer de le voir si aimable avec une jeunesse, Mme de Brizambourg s'exclame : « Voilà l'homme ! Quelle autorité ! Ah, il sait parler en maître, celui-là... »

Margot ne peut s'empêcher de sourire : à l'amour total, tout est bon.

Pourquoi n'aimait-elle plus Pierre de la sorte, à l'époque ? C'était ça qui clochait entre eux, rien d'autre. Pierre était pourtant un homme tout à fait aimable. Et même particulièrement séduisant, avec ses quarante ans à peine entamés.

A la « boîte », comme elle disait pour désigner

l'agence de publicité pour laquelle elle concevait des campagnes, cherchait des slogans — elle l'avait quittée depuis —, plusieurs hommes lui faisaient la cour. C'est inévitable lorsqu'on se voit tous les jours, parfois du matin jusqu'au soir, quand ça n'est pas, aussi, quelques heures durant le week-end. Travailler rapproche. Chercher des idées — ce qu'on appelle « créer », dans le métier — encore plus. Comme sur un tournage où les acteurs finissent fatalement par coucher entre eux, ou alors avec le metteur en scène ; c'est presque un *must*, quand on travaille aussi fort, qu'aller chercher l'inspiration en se frottant à une personne du sexe opposé. Il y a quelque chose d'anti-normal, presque de grotesque, à rentrer le soir chacun chez soi, pépère, pour retrouver son conjoint et, sur le pas de la porte, lui dire : « Alors, tout s'est bien passé aujourd'hui pour toi ? Raconte-moi ta journée ! » Comme lorsqu'on est en classe et qu'on dit à celui de ses parents qui veut bien vous entendre : « La maîtresse, elle a été méchante aujourd'hui... Mais j'ai fait un beau dessin, et j'ai commencé à apprendre mes lettres... »

Non, Margot ne se voyait pas expliquer à Pierre comment ils avaient longuement séché sur des couches-culottes, jusqu'à ce que Marc, qui regardait par la fenêtre, lance deux paroles en l'air qui les mit sur la voie, Jean-Stéphane et elle. Ils ont tout repris par le début, Margot a rédigé un premier *draft*, Sylvestre, le directeur de la création, l'a revu, d'abord approuvé, puis barré jusqu'à la dernière ligne, il n'en est resté que deux mots. Sur quoi Jean-Stéphane a planché à son tour, ce qui les a conduits dans une tout autre direction qui, ce soir, leur paraît la bonne. On verra demain.

« Je t'en supplie, Pierre, ne me parle pas de couches-culottes ! » eût-elle dit à son mari s'il avait eu tendance à s'aventurer sur ce terrain. Celui de sa peine quotidienne, haïe et en même temps adorée : quelle satisfaction, quelques semaines plus tard, de voir ses mots, ses idées, même s'il s'agissait d'un travail collectif, s'étaler dans tous les journaux et sur les murs de Paris ! Quelle magnifique sensation d'exister plus fort ! Quelle complicité avec Marc, Sylvestre, Jean-Stéphane et les autres !

Pour peu que l'un ou l'autre manifestât distraitement l'envie de faire l'amour, c'était presque une trahison que de refuser. Ils avaient sué sang et eau ensemble, cela rapproche, sur le plan du corps aussi. Elle finissait d'ailleurs par connaître les odeurs corporelles de ses camarades d'agence tout autant que celles de Pierre. Parfois mieux. Lui, c'était la nuit ; eux, le jour.

Le jour, on n'enregistre pas forcément mieux que la nuit, mais autrement. Avec une curiosité lucide.

Oui, c'est ça qui l'avait perdue — ou qui la poussait, à l'époque : la curiosité.

N'est-ce pas une qualité, chez un être humain ? Presque une vertu. Qui n'en possède plus, en tout cas, est à moitié mort.

A l'époque, Margot avait de la curiosité à revendre. Ce qui lui donnait ce mordant, ces éclats de talent que l'agence payait si bien.

Et Pierre ? N'avait-il pas à demeure, dans son entreprise d'instruments médicaux, deux secrétaires, une assistante, sans compter quelques femmes chargées du commercial ? Avec, en plus, l'avantage d'être le patron, celui qui a l'ascendant, puisqu'il paie !

Chaque fois qu'elle se rendait sur les lieux pour aller le chercher, elle sentait d'ailleurs peser comme un malaise autour d'elle : elle était l'épouse, la légitime propriétaire, celle qui avait le « droit ». Le droit de quoi ? D'être trompée, cocue. C'était même ce qu'elle sentait le plus fort ; dans son dos, on échangeait des regards qui signifiaient : « La pauvre, si elle savait ! »

Ça l'exaspérait tellement qu'elle avait envie de s'écrier : « Eh bien oui, quoi, je suis au courant, et alors ? »

Elle n'en faisait rien, mais elle évitait de se rendre là-bas et donnait rendez-vous à Pierre directement au restaurant, ou bien elle l'attendait en bas, dans la voiture, lorsque, après le travail, ils ne repassaient pas par la maison.

Toutefois, une telle accumulation de non-dit, de mal-vécu, ne s'évacue pas toute seule. Au contraire, moins on en parle, plus cela fermente, s'aigrit, et c'est ce qui avait éclaté aux Bahamas. Des deux côtés, car sans que Margot s'en doutât, Pierre était tout aussi furieux et épuisé qu'elle. Claquemurés dans un silence encore de bon ton, l'un comme l'autre s'en voulaient terriblement.

Les petites filles s'agitent sur leurs chaises, glaces avalées, cuillères léchées et reléchées. De sournois coups de pied sous la table, plus des tentatives pour s'arracher les dernières gaufrettes, trahissent leur envie d'être ailleurs.

— Si on allait se promener dans le jardin là-bas ? lance Caroline qui connaît sa progéniture.

— Allez-y, dit M. Pomerel, il y a des allées sans danger, elles vont pouvoir courir. Une jolie charmille conduit à une terrasse : si vous regardez par-dessus le parapet, vous pourrez voir la vallée de la Seugne, c'est ravissant.

Violette a raison, songe Margot, son père sait tout, a tout retenu et peut le décrire de mémoire. Où que vous alliez, il vous accompagne en pensée.

C'est bien ce qui manque à Margot, ces temps-ci : être accompagnée. Pour de bon.

CHAPITRE XVII

— Alors, qu'est-ce qu'il t'a dit ?
— Que je lui manquais.
— Eh bien, tu vois !
— Mais c'est seulement une formule de politesse pour que je lui fiche la paix !
— Caroline, tu es en plein délire ; ce que tu nous fais là, c'est un accès de jalousie maladive !
— Pourquoi dis-tu ça, maman ?
— Quand tout paraît suspect, quand on découvre des intentions malignes derrière chaque phrase, quand on ne croit plus un mot de ce que les autres vous disent, on délire !
— Normal que je délire, puisque je n'ai aucune preuve... N'empêche que je sens qu'il se passe quelque chose, et le pire, c'est de ne pas savoir.
— Tu préférerais être certaine que ton mari te trompe ?

Caroline et Margot s'arrêtent de marcher, une légère brise agite les branches des charmes, les petites gambadent autour d'elles dans cet accueillant jardin public où les pelouses ne sont pas interdites.

— Oui, dit Caroline.

Elle a le regard fixe, mais, par moments, ses yeux bougent de droite et de gauche, comme si elle cherchait à voir quelque chose au-delà du décor.

— Eh bien, vas-y ! s'exclame Margot, soudain agacée.

— Où ça ? demande Caroline qui se tourne enfin vers elle.

Une fois de plus, Margot est frappée par le bleu de ses yeux, presque blanc autour de l'iris sombre, contrastant aussi avec ses épais cils noirs.

— Eh bien, à Paris, puisque tu as tellement envie d'en avoir le cœur net ! Va faire ton enquête sur place... Thierry ne t'attend pas ; s'il te trompe, tu t'en apercevras, et si tu ne fais que délirer, tu t'en convaincras également, du moins je l'espère.

— Mais les petites ?

— Je peux très bien les garder ici quelques jours.

Caroline s'est remise en marche, Margot à ses côtés.

— Maman, pourquoi m'en veux-tu ?

— Moi ? s'écrie Margot, saisie.

Caroline a raison, elle en veut à sa fille de ne pas avoir su rester triomphante, de se retrouver blessée, humiliée, sans défense ; en somme, dans un rôle de victime.

Ça n'est pas pour cela qu'elle l'a élevée : elle espérait au contraire que Caroline réussirait tout ce qu'elle-même avait raté. Caroline était sa revanche sur la vie. Et voilà que cela aussi était raté.

— Ce n'est pas à toi que j'en veux, ma chérie, c'est à la vie, la vilaine vie qui fait du mal à mon petit enfant !

Margot bêtifie, mais comment avouer le fond de sa pensée à Caroline ? La jeune femme se sentirait encore plus désespérée, elle devine bien assez que sa mère est déçue à son sujet — la preuve : sa question. Elle se reprend :

— Ne t'en fais pas, maman, c'est un mauvais passage, je m'en sortirai. Viens, rentrons, allons retrouver grand-père.

Le moment de confiance s'est dissipé et Margot s'en veut, elle aurait dû dire à Caroline... Quoi ? Qu'elle aussi a été trompée par son mari ? Mais elle s'en fichait, à l'époque, du moins le croyait-elle. Que le pire, pour une femme, c'est de rester seule, qu'il faut s'accrocher à son compagnon de vie, quoi qu'il arrive ? Ou alors que l'existence n'est qu'une vallée de larmes et que, tôt ou tard, chacun en a sa part ?

Si elle n'a que cela à lui dire, autant se taire, Caroline a raison.

M. Pomerel, chapeau sur le côté, est en train d'expliquer à Mme de Brizambourg, les yeux arrondis par l'attention, comment, autrefois, il s'était retrouvé à Pons le jour de l'érection particulièrement mouvementée d'une statue à la gloire du petit père Combes. Il y avait eu un mort !

— Est-ce possible ?

— Combes était né à Pons et après sa mort, ses concitoyens, pour l'honorer, avaient commandé à un sculpteur une belle statue en marbre blanc qu'ils avaient décidé d'ériger là où nous sommes, sur la place du donjon.

— Et alors ?

— Alors Combes avait des ennemis...

— Même après sa mort ?

Caroline et Margot s'intéressent à leur tour, et M. Pomerel se remet à expliquer qui était Combes, son action en faveur de la laïcité : c'est lui qui fit voter la séparation de l'Église et de l'État, ce qui lui attira la haine des ultras, de l'extrême droite...

— Le jour de l'inauguration du monument, il se trouve que j'étais là ! Une fois prononcés les discours, on dévoile la statue et les personnalités présentes s'approchent pour déposer quelques gerbes de fleurs... Parmi eux, un jeune homme, je ne sais plus qui c'était ni comment il s'était introduit là... Sous son bouquet, il avait dissimulé un marteau... A peine arrivé au pied de la statue, il le sort, escalade vivement les marches, sans que personne puisse l'arrêter, et au premier coup de marteau, la barbe a sauté ! Le vandale n'a pas eu le temps d'en faire davantage, car on l'a ceinturé. Mais l'ordre ne s'est pas rétabli pour autant, une vive échauffourée a éclaté. Comme je me trouvais en plein milieu, j'ai pris des coups !

— Toi ?

— Eh bien oui, moi ! Je me suis tenu les côtes pendant plusieurs jours, j'avais de ces ecchymoses !

Il rit. Qu'était ce pugilat en comparaison du Chemin des Dames où M. Pomerel a reçu une blessure grave, ce dont il parle rarement ?

Les questions fusent :

— Pourquoi l'appelait-on le « petit père » Combes ?

— Parce que c'était un homme tout petit, minuscule même...

— On a réparé la statue ?

— Impossible, c'était du marbre ! On l'a mise au rancart et on en a commandé une autre, en bronze, cette fois, c'était plus prudent ! Mais les passions étaient apaisées quand on l'a érigée, quelques années plus tard, et personne n'a songé à lui faire du mal !

— Où est-elle ?

— Au même emplacement que la première. Tiens, là-bas, vous la voyez ?

Margot se tourne et aperçoit la statue de bronze d'un homme assis sur un fauteuil de même métal. Comme tout est paisible aujourd'hui sur la place ensoleillée ! C'est curieux comme un cadre ne garde aucune trace des événements sanglants qui s'y sont déroulés. Place de la Concorde, l'ancienne place Louis XV, rien ne rappelle que tant de têtes ont roulé pour saluer dans l'horreur l'avènement de la République. Il arrive à Margot d'y songer quand sa voiture y est immobilisée par un embouteillage.

Pourquoi voudrait-elle que sa fille échappe à tous les tourments ? Déjà bien beau de vivre dans un pays aussi pacifique. Sérénité qui n'est peut-être que provisoire.

« Le château, grand-père, on veut voir le château ! » chantonnent en chœur les petites filles.

— Est-ce qu'il y a des fées dans le château ? demande Amyette.

— C'est possible, dit M. Pomerel, mais elles n'apparaissent qu'aux tout petits enfants, moi je suis trop vieux, je n'en ai jamais vu...

— Elise, elle est vieille, et Amyette aussi, dit Mélissa, ravie pour une fois qu'être la puînée lui donne l'avantage sur ses sœurs.

— Je crois en effet, dit M. Pomerel, que les fées n'aiment que les petites filles qui ne savent pas encore lire...

— Moi je sais pas lire ! s'écrie Mélissa.

— Menteuse ! lance Caroline. Hier, dans ton lit, tu m'as lu toute une page de *La Belle au Bois dormant*, et même très bien.

— Je lisais pas, je récitais par cœur, c'est Maria qui m'a appris !

— Tu expliqueras ça à la fée !

Pressés par la curiosité, ils rejoignent rapidement les voitures. Margot roule en tête ; M. Pomerel, installé à ses côtés, tente de rameuter ses vieux souvenirs. « Il faut sortir de Pons par la route de Jonzac. Après, il y a un pont au-dessus du chemin de fer. Ah, le voici. Une fois arrivé au croisement, je crois qu'on prend à droite, non, à gauche... »

— Regarde, c'est indiqué : château d'Usson, à gauche ! dit Margot.

— Usson ! C'est bien ça ! J'y ai fait des déjeuners pantagruéliques... C'était la belle époque. On était tellement heureux qu'on s'en faisait pour des riens !

Des détails inimaginables. Est-ce que je t'ai raconté l'histoire des truites ?

— Je ne me rappelle plus, papa.

Margot s'en souvient très bien, mais elle ne se lasse pas d'entendre M. Pomerel distiller avec art ses meilleures anecdotes. Et puis, cela la fait rêver, elle aussi, cette évocation d'une douceur de vivre aujourd'hui perdue.

— Un jour, mon père reçoit une lettre d'un de ses cousins germains qui habitait une belle maison du côté de Cognac. Elle commence par des lamentations infinies : « Ah, mon bon, ah, mes très chers, il nous arrive un malheur épouvantable, une catastrophe sans nom... » Mon père, affolé, lit plus avant, il pense qu'un incendie a ravagé la propriété, que tout le monde est mort, que le cousin est paralysé, n'importe quoi... Eh bien, tout simplement, les truites s'étaient échappées ! Oui, son cousin possédait un élevage de truites, auquel il tenait comme à la prunelle de ses yeux ; quelqu'un avait levé imprudemment la vanne et les truites étaient parties au fil de l'eau... Il n'y avait plus qu'à reconstituer l'élevage ! Voilà ce qu'on appelait un grand malheur, aux alentours de 1900 !

Ils sont arrivés et, sur la gauche du chemin vicinal, une sorte de trouée herbeuse invite à garer les voitures dont ils descendent tous ensemble pour se regrouper autour de M. Pomerel.

— Je veux voir la fée ! Où est-elle ? s'écrie Amyette d'une voix flûtée et légèrement tendue.

— Là-bas, déclare M. Pomerel en pointant sa canne vers une allée d'ormes au bout de laquelle on aperçoit une grille dorée. Derrière la grille, un bassin, des jets d'eau, des parterres de roses et, au-delà des roses, le château... Le peu qu'on en devine depuis la route relève de l'enchantement. Bas, sculpté, orné de statues, c'est véritablement un castel de contes de fées.

Les trois petites filles restent figées sur place, la bouche légèrement entrouverte. C'est bien comme elles l'avaient imaginé : au bout du chemin, le rêve !

CHAPITRE XVIII

Après déjeuner, quand la lumière vibre le plus fort et que, par contraste, tout ce qui vient du vivant se calme, le chant des oiseaux, l'aboiement des chiens, Margot annonce à M. Pomerel le départ immédiat de Caroline. Elle éprouve le besoin d'aller retrouver Thierry, retenu à Paris pour raisons professionnelles.

M. Pomerel, loin de s'affecter, approuve aussitôt : dans son esprit, une épouse ne doit jamais quitter son mari. Peu importent les enfants, il y a des nourrices, des bonnes, des grand-mères pour s'occuper d'eux. En revanche, un mari ne se « lâche » sous aucun prétexte.

Margot est secrètement ravie de se charger de ses petites-filles. Quant aux enfants, elles considèrent comme une aubaine d'être laissées sans contraintes dans la vieille maison. Ici, de Mme de Brizambourg à Mme Vauban en passant par leur grand-père, chacun ne pense qu'à les gâter.

Jusqu'à en oublier les règles élémentaires de l'éducation : sieste sautée ou raccourcie, coucher tardif, gâteaux et sucreries à la demande, petits présents quotidiens, effrayantes histoires de loup-garou, le soir, après dîner.

Caroline a l'habitude de lire aux enfants des contes

classiques, mais ceux de M. Pomerel ou de Mme de Brizambourg ont une autre saveur. Quand de si vieilles gens évoquent les gnomes, les fées, les sorcières, ils ont l'air de les avoir eux-mêmes rencontrés ! Ils sont si vieux, ils ont l'air si convaincus !

— Mamie, Violette a dit qu'il y avait des loups quand elle était petite ! Une fois, elle était sur la route, au bord d'une forêt, et elle a vu deux yeux tout brillants qui la fixaient, elle a couru, couru... C'était le loup !

Les yeux de la toute petite fille luisent d'un éclat sombre : crainte ou désir ?

— C'est bien possible, ma chérie, c'est vrai qu'autrefois il y avait encore des loups dans les bois.

— Tu aurais eu peur ?

— Sûrement, si j'avais vu un loup !

— Tu es sûre qu'il n'y a plus de loups ?

— Non, on les a chassés.

— Je suis contente qu'ils soient morts.

— Mélissa n'est pas gentille, elle veut toujours que tout le monde soit mort, commente Amyette.

— Ah non, pas grand-père, pas maman, pas Mamie !

— Et papa ?

— Pas papa non plus, pas Mme Brambourg, pas Mme Bauban...

C'est comme une prière. Dans son monde d'enfant, il y a les familiers qu'on aime ou qu'on est obligé d'aimer, et les étrangers auxquels rien ne vous lie. Ceux-ci sont forcément redoutables. Des sortes de loups assoiffés de sang !

Et si le loup, se dit Margot en bordant les enfants l'une après l'autre, était dans la bergerie depuis toujours sans qu'on s'en fût douté ? Si c'était un intime, justement, un tout à fait familier ? N'est-ce pas ça, la racine de l'épouvante, le véritable « loup » pour adultes ? Pressentir que le pire danger peut venir de ceux à qui on fait le plus confiance : son mari, son amant, ses enfants, ou même soi ! Alors qu'en apparence, tout respire le calme...

Cela fait deux jours que Caroline est partie pour Paris avec sa voiture. Il est convenu qu'elle n'appellera pas la première, et Margot n'a aucune nouvelle. Mais elle ne s'inquiète pas : Caroline vit sa vie, s'y affronte en tout cas.

Elle aussi, à une certaine époque, a réglé ses problèmes sans tenir compte de l'opinion familiale et sans l'informer.

Après, il a bien fallu élaborer quelque chose de plausible.

« Que vas-tu raconter à ton père ? » lui a demandé Pierre au moment de leur divorce. Et il a ajouté : « J'espère que tu ne lui diras pas trop de mal de moi ! »

Pincement au cœur : Pierre voulait bien divorcer d'avec elle, mais pas d'avec Monsieur Pomerel ! Hommes entre eux ! Aimait-il plus le vieux monsieur qu'il ne l'aimait, elle ?

Plus on est proche de quelqu'un, plus on risque de le perdre, d'en être haï et de le haïr.

Au contraire, si on n'entretient avec autrui que des rapports superficiels, ils peuvent se perpétuer sans coup férir jusqu'au bout de l'existence. Serait-ce ça, la sagesse ? Conserver ses distances, comme vous y enjoint par un semis d'accents circonflexes jaunes sur la chaussée une campagne incitant à la prudence au volant ?

Margot n'avait pas conservé ses distances avec Pierre, la preuve : ces mouvements de fureur qui la déchirent encore quand elle pense à la facilité avec laquelle il s'est installé, moins de trois semaines après leur séparation, avec une autre femme.

Quand elle lui en a fait la remarque — ou plutôt le reproche —, il a eu cette phrase splendide : « J'ai besoin qu'on m'attende quand je rentre le soir ! »

N'importe qui pouvait donc faire l'affaire ? Ç'avait été elle, Margot ; à présent c'était une autre, en attendant la suivante...

Admirable égoïsme masculin : tout plutôt que la solitude ! Margot se rappelle qu'à une certaine époque, son père, resté seul après la mort de sa femme, avait pris l'habitude de prendre ses repas avec sa jeune employée. Il la faisait asseoir à la table de la salle à manger, face à lui. A Margot qui les avait surpris en lui rendant visite à l'improviste, M. Pomerel avait déclaré : « Je digère mieux quand je parle à quelqu'un, parce que j'avale moins vite ! »

Margot ne conçoit pas de s'asseoir face à un employé de maison de sexe masculin — si une telle chose existe — dans le seul but d'améliorer ses digestions !

Décidément, les hommes sont autrement bâtis que les femmes ! C'est ce qui est si dur à admettre.

Pourtant, si elle avait eu un garçon en plus de Caroline, elle ne lui aurait pas demandé de se conduire en fille ! Pourquoi voulait-elle absolument que Pierre fût exactement comme elle : mêmes réactions, mêmes façons de vivre, à la limite mêmes désirs ? Parce qu'ils s'étaient connus et mariés si jeunes ? Ou par une sorte de rivalité, parce qu'elle ne voulait pas qu'il en fasse plus qu'elle dans la vie ?

La voilà bien avancée.

— Enfin, ma chère, vous ne pouvez pas vous arrêter une minute ? Toujours en train de vous agiter ! Où allez-vous encore ?

— Écoutez, Séverin, j'ai une petite course à faire !

Mme de Brizambourg, chapeau de panne noire sur la tête, légèrement maquillée — Margot adore le maquillage sur les vieux visages, cette touche de coquetterie qui les rend si émouvants —, un cabas au bras en sus de son éternel sac à main de box clair, tentait de se faufiler vers la sortie quand M. Pomerel, qui revenait des toilettes, l'a surprise.

Il a horreur qu'elle sorte — bien qu'elle marche mieux que lui —, elle le sait, et pour éviter les scènes, elle préfère mettre son vieil ami devant le fait accompli. A son retour, en plus de ce qu'elle est allée acheter, elle lui rapporte toujours une gâterie, comme on fait aux enfants pour se faire pardonner une absence : carte postale amusante, friandise, ou, plus appréciée encore, quelque anecdote.

Mais, cette fois, elle s'est fait pincer dans le couloir de l'entrée et les grondements de Séverin la terrorisent. Comme il le sent, il en profite :

— Vous n'êtes pas raisonnable ! Sortir par une chaleur pareille ! Vous n'avez qu'à demander ce qu'il vous faut à Mme Vauban ou à Margot, elles vous le rapporteront ! Sans compter qu'il y a tout ici ! On est une maison bien montée, on ne manque de rien !

— C'est que je ne sais pas exactement ce que je veux...

— Si vous ne savez pas ce que vous voulez, raison de plus pour ne pas vous fatiguer à courir les rues !

— Je veux dire que je sais bien ce que je veux, mais j'ai oublié comment ça s'appelle, il faut que je voie...

Elle s'emberlificote dans sa logique de femme qui a besoin de voir, de toucher ; en fait, que ça amuse de « faire les boutiques », contre la logique d'un homme qui préfère demeurer chez lui à lire le journal ou à bricoler ! M. Pomerel répare, aménage ou remet d'aplomb tout ce qui lui tombe sous la main : vieilles prises, vieux commutateurs, objets non identifiés et hors d'âge qui reprennent du service à coups de sparadrap, de scotch, de pointes, de punaises, de colle faible ou forte, une vraie clinique pour invalides !

Margot les comprend si bien tous les deux, elle les aime tant, tels qu'ils sont, mais c'est au secours de Violette qu'elle vole, car c'est elle qui est en train d'avoir le dessous (parfois, c'est le contraire).

— Papa, laisse-la faire, elle n'en a pas pour longtemps, ça lui fait plaisir de sortir un peu !

— Elle aura trop chaud, et puis ces vieux pavés sont dangereux, elle risque de tomber...

— Voyons, Séverin, je suis prudente, voyez, je prends ma canne !

— A quoi ça sert de se donner du mal quand on a des gens pour faire les choses à votre place !

— Et toi, tu laisses les gens faire les choses à ta place ? Je voulais appeler l'électricien et j'ai vu que tu as réparé tout seul le lampadaire...

— C'était rien du tout, juste un peu de scotch et deux clous...

— Tu veux dire que ça t'a fait plaisir de travailler de tes mains ! Violette, elle, ça lui fait plaisir de faire travailler ses jambes...

— Penses-tu ! Ce qu'elle aime, c'est dépenser de l'argent, et je ne veux pas qu'elle dépense son argent quand elle est chez moi !

Autre antienne : s'il le pouvait, M. Pomerel paierait pour toutes les femmes de la maisonnée, et Margot doit tricher pour contribuer à l'entretien du ménage, plus lourd que le vieux monsieur, habitué aux prix d'autrefois, ne s'en doute.

Avec les cent francs qu'il exige qu'elle prenne quand elle se rend au marché, c'est à peine si elle arrive à payer le poisson. Une truite saumonnée de belle taille, des langoustines, des soles pour les petites, et ça y est ! Avec du fromage, du beurre, des yaourts — les produits laitiers aussi ont augmenté d'une façon incroyable —, le billet de cent francs n'existe plus et si elle veut des légumes, des fruits, des fleurs, elle en est de sa poche.

Quand son père lui demande le lendemain : « As-tu besoin d'argent ? », Margot, émue par son air anxieux, lui répond invariablement :

— Mais non, papa, tu m'en as donné hier.

— Ça te suffit ?
— Bien sûr.
— Eh bien, tant mieux ! soupire-t-il, soulagé.

Margot n'a pas envie que son père se rende compte à quel point la vie est devenue inhospitalière par rapport à celle qu'il a connue. Aux gens qui vieillissent, le montant de leur retraite donne cruellement le sentiment que cette société ne veut plus d'eux, n'a plus besoin d'eux, cherche à les décourager, et même à les expulser.

Margot ne le supporte pas.

Ça y est, Violette est parvenue à se glisser hors de la maison et Margot la voit passer devant les fenêtres qui donnent sur la rue, trottinante et pressée de se retrouver dans les rues piétonnières et leurs étalages affriolants.

Margot l'éprouve aussi : acheter est une sorte de création. On fait preuve de son goût, de son sens des formes et de la couleur, de son astuce, de son invention, de son flair, pour dénicher ce qui convient à la maison et risque même d'y faire merveille ! Quand les femmes ont les moyens de se laisser aller à leurs impulsions, elles ont le sentiment de faire œuvre d'artistes.

En revanche, une femme qui ne peut pas acheter s'ennuie et cède rapidement à la déprime. Margot a toujours deux ou trois projets de courses en tête — en ce moment, une nappe à fleurs pour la table en fer de la véranda, une boutonnière en tissu pour son tailleur noir, un abat-jour neuf pour le lampadaire du salon, peut-être aussi — mais c'est plus cher — un tapis à motifs persans pour l'entrée. Elle couve ses désirs, les bichonne, les diffère afin de n'être jamais à court. Et quand elle renonce à « consommer », c'est que quelque chose ne va pas.

— Papa, peux-tu regarder la lampe de ma table de nuit, elle est à éclipses, je me demande ce qu'elle a.

— Ce doit être l'olive, dit M. Pomerel qui utilise encore les termes d'autrefois. Apporte-la moi, je vais la démonter ; si elle est cassée, j'en ai d'autres dans le tiroir de la grande armoire.

Le tiroir de la grande armoire, c'est là que tous les déchets trouvent refuge en attendant de faire office de prothèses pour un blessé ou un autre... Un véritable capharnaüm qui agace et attendrit Margot tout à la fois !

Son père s'est assis devant son bureau, face à la petite lampe au pied de bois sculpté, plusieurs tournevis posés devant lui comme les instruments d'un chirurgien, et une expression de contentement s'installe sur son visage. Lui aussi est à son affaire, comme Violette en train de faire ses courses.

Les petites font la sieste en compagnie du chien.

Margot se laisse tomber dans un fauteuil, pas n'importe lequel, celui situé près du téléphone.

Mais elle n'appellera pas la première.

CHAPITRE XIX

C'est seulement après le dîner que le téléphone se décide à sonner. Toute la famille est regroupée devant la télévision à regarder *Samdynamite*, cette émission du samedi soir pour enfants et assimilés. Margot, qui se tient en retrait, est la seule à percevoir la sonnerie, car personne ne tourne la tête lorsqu'elle quitte la pièce pour aller répondre.

Quand elle entend une voix d'homme, au lieu de celle de Caroline, son cœur se met à battre comme s'il s'agissait d'une surprise. C'en est une.

— C'est vous, Margot ? C'est Thierry !

Pourquoi son gendre l'appelle-t-il, ça n'est pas dans ses habitudes !

— Je vous téléphone à propos de Caroline...

Il est arrivé quelque chose, vite, savoir...

— Quoi, que se passe-t-il ?

— Justement, je ne sais pas...

Que les gens sont exaspérants ! Perdus dans leurs problèmes, ils en négligent les appréhensions des autres.

Des barrissements d'éléphants tonitruent dans la pièce voisine, mêlés aux rires glapissants des enfants et sans lâcher l'écouteur Margot allonge la jambe en arrière pour, d'un sec coup de pied, claquer la porte vitrée, laquelle, heureusement, en a vu d'autres.

— Où est-elle ? Elle n'est pas avec vous ?

— Caroline m'a téléphoné au bureau pour m'annoncer qu'elle se trouvait à Paris et qu'elle était descendue dans un hôtel.

— Lequel ?

— Elle n'a pas voulu me le dire.

— Vous l'avez vue ?

— Elle m'a donné rendez-vous dans un bar de la rue de Grenelle et... Eh bien, je n'ai rien compris à ce qu'elle m'a dit.

— Quel genre de choses ?

— Qu'on ne s'entendait plus... Qu'elle voulait une période d'essai... Que... Enfin, ça m'est très difficile de vous expliquer ça par téléphone, j'aimerais vous voir !

— Mais je ne peux pas rentrer à Paris, je m'occupe des enfants.

— Je sais ! Seulement, il se trouve que je dois me rendre à Bordeaux pour une journée. J'arrive tôt à l'aéroport, je vais à ma réunion et je rentre par avion le soir. J'ai juste le temps de vous voir à l'heure du déjeuner.

— Quel jour ?

— Après-demain, lundi.

— Où ?

— On m'a donné une adresse, chez Duberne... C'est central, paraît-il.

— Entendu, j'y serai. A quelle heure ?

— Je pense être libéré vers treize heures quinze. Si je suis un peu en retard, vous m'attendrez ?

— Bien sûr.

Jamais son gendre ne s'était montré si considéré à son égard ! C'est au demeurant la première fois qu'il l'invite à prendre un repas en tête à tête — une sorte de rendez-vous d'amour, en quelque sorte ! Il doit être bien perdu !

En roulant, le surlendemain, sur la portion d'autoroute qui relie Saintes à Bordeaux, Margot ne peut éviter de savourer la subtilité avec laquelle la Saintonge devient progressivement le Bordelais. Les vignes changent d'aspect, les très hauts cépages du Cognaçais rapetissent, remplacés par des plants bas, non pas plus soignés, ce serait impossible, mais émondés à un sarment près. Les habitations aussi se transforment, la tuile disparaît au profit de l'ardoise, et à mesure qu'on approche du grand port, le caractère rural des agglomérations fait place à quelque chose de plus cossu. Des bouquets de pins, souvent des pins maritimes, sont les avant-coureurs de l'immense armée qui, plus au sud, peuple les Landes.

Pourquoi s'attache-t-on pour la vie à une région plutôt qu'à une autre ? Margot reconnaît la beauté de ce paysage vallonné, s'incline devant la majesté des deux fleuves traversés en pénétrant dans Bordeaux, la Dordogne, puis la Garonne, respire de tous ses poumons la saveur folle de l'air marin ; mais il n'y a rien à faire, elle préfère la Saintonge ! Ses charmes discrets, cet affleurement constant du gallo-romain, comme celui d'un très vieux squelette dont les os perceraient délicatement la peau.

En sens inverse, chaque fois qu'elle retourne à Paris, une excitation la prend à la lecture d'un certain panneau de signalisation : « *Vous entrez en Ile-de-France !* » Mot magique ! A son dernier trajet, un octosyllabe lui est venu en réponse : « *Mon cœur a la forme d'une île !* » L'Île de France, où elle est née, a d'ailleurs pour symbole l'image d'un cœur qui bat.

Dès les quais, tous les problèmes de la circulation urbaine l'assaillent : feux rouges, parkings souterrains complets, places le long des trottoirs occupées. D'automobiliste indépendante et à l'aise qu'elle se sentait sur l'autoroute, elle redevient cette sorte de chenille rampante qui prend son mal plus ou moins en patience, l'œil balayant sans cesse les alentours en quête d'un hypothétique créneau.

Tout est planifié, rationnel et sûr dans la vie moderne, se dit-elle, sauf ça : va-t-on ou non trouver une place pour garer sa voiture ? Enfin, c'est fait, elle n'a que dix minutes de retard lorsqu'elle pénètre dans le restaurant à l'ambiance calme, aux chaises hautes et bien rembourrées, aux épaisses nappes blanches, dont l'accueil courtois achève de donner le sentiment si reposant du confort. Thierry n'est pas encore arrivé.

Installée à la table de coin qui leur a été réservée, Margot soupèse instinctivement les lourds couverts façon argenterie, retourne son assiette au joli décor pour en chercher l'origine — *Manufacture royale, Limoges* — réaligne du doigt les fins verres gravés.

Puis elle regarde autour d'elle.

Ça n'est pas la clientèle parisienne. Il y a quelque chose de mieux assuré chez ces hommes : on les dirait un peu de droit divin, à la façon des bourgeois d'autrefois. Plusieurs femmes portent des chapeaux, ne craignent pas d'arborer leurs bijoux avec un contentement de soi qu'elles n'ont plus à Paris. Est-ce parce que la Ville-Lumière brasse avec plus d'énergie les populations qu'il y est parfois impossible de distinguer une employée d'une femme du monde ? A Bordeaux, les femmes nanties ont encore l'air de « madames ».

Cela amuse Margot. Au fond, ces personnes jouent un rôle, et elle les imagine très bien chez elles donnant des ordres autoritaires à leurs employés ou décrétant à voix haute dans les magasins : « Je veux être livrée ce soir même, sinon je refuse la commande ! — Mais bien entendu, Madame ! »

Que ça devait être délectable, autrefois, la supériorité sociale, du seul fait qu'on avait de l'argent ! Des « moyens », comme on disait. Maintenant, tout le monde est moyen, et le sera de plus en plus.

Cent fois, elle l'a dit à Caroline : « Attention, si tu

n'as pas de métier, tu seras la proie de ton mari ! Imagine qu'il te quitte, que deviendras-tu ?

— Il me fera une pension !

— Tu crois que c'est si facile, et surtout que ça suffit !

— Écoute, maman, Thierry et moi, on s'adore ! Et puis, si ça ne va plus, je travaillerai, ça me changera...

— A quoi ? Tu n'as qu'un diplôme de sciences économiques, autant dire rien.

— Je serai secrétaire...

C'était l'ambition des jeunes filles, au début du siècle, le secrétariat ; elles croyaient ainsi s'introduire dans le « secret » des hommes et de leurs affaires ! Puis, avec le féminisme galopant, c'est devenu plutôt une position inférieure : à moins d'épouser son patron, une secrétaire restait vouée aux postes subalternes. Et voici qu'à nouveau, c'est changé : les femmes qui veulent gagner leur pain sans entraves se voient toutes secrétaires. Délivrées, croient-elles, des trop hautes responsabilités, pour n'avoir que celles de leur vie privée... Comme si ça n'était pas lié !

— Madame veut-elle boire quelque chose, en attendant ?

Margot se voit soudain avec les yeux du maître d'hôtel : une femme d'âge moyen qui attend ! Son mari, son amant, une amie ? Elle est presque vexée d'avoir l'air de quelqu'un qu'on fait poireauter au point de s'attirer la compassion du personnel ! Heureusement qu'elle est allée chez le coiffeur se faire mettre en plis. Dans son tailleur de lin blanc, avec ses chaînes Chanel, ses vrais bracelets d'or, ses petites boucles d'oreilles en diamants, elle est élégante. Inclassable, mais avec de la classe. On doit percevoir en elle la Parisienne de souche, une espèce à part.

Elle sourit au garçon en veste blanche.

— Je prendrais volontiers une orange pressée.

Il s'incline, se précipite vers le bar.

C'est à ce moment que surgit Thierry. Costume d'été gris fer, cravate rouge qui vole au vent, cheveux châtains bouclés, larges yeux gris bleuté, il est beau.

— Margot ! dit-il dès qu'il l'aperçoit, pardonnez-moi, cela a duré plus longtemps que prévu, des discoureurs qui n'en finissaient pas ! Et je ne pouvais même pas m'échapper pour vous téléphoner !

Debout devant la table, bras ouverts, il la regarde d'un air contrit qui n'exclut pas un brin d'admiration. Même une belle-mère, quand elle est restée belle, est une femme ! D'ailleurs, qui se douterait de ce qui les lie ? Le garçon, qui apporte le jus d'orange sur un plateau argenté, jette à Thierry un regard sans équivoque. Il le prend pour son jeune amant !

— Ne vous en faites pas, Thierry, j'ai tout mon temps. Je suis en vacances, vous savez...

— Eh bien, pas moi ! dit Thierry en s'asseyant près d'elle et en jetant au garçon qui allait s'éloigner : « Scotch, s'il vous plaît. »

Les hommes sont souvent mieux sans leurs femmes ! Même quand leur femme est votre propre fille.

CHAPITRE XX

— Mamie, viens jouer aux cartes !

— Tu viens d'abord au jardin, je veux te montrer ce que j'ai planté !

— Tu viens moi, tu viens moi !

De retour à la maison, Margot est aussitôt saisie, bousculée, pincée même, par les trois petites filles. La violence de leur accueil trahit leur angoisse : pourquoi leur grand-mère est-elle allée voir leur père sans elles ? Et Maman qui n'est pas là !

« Elles sentent que quelque chose ne tourne pas rond », se dit Margot en s'abandonnant sans résistance à leur excitation.

— Ça s'est bien passé ? demande de loin la voix calme de M. Pomerel.

— Très bien, papa, je te raconterai...

Elle se laisse entraîner au jardin, se penche sur ce qu'on lui indique, semis de cailloux blancs style Petit Poucet, amas de pétales froissés, trous dans les plates-bandes qu'a creusés Melissa et où dépérissent ce qu'elle nomme ses « plantations » : des tiges brisées et fichées en terre.

Comme si l'enfant, se dit Margot, matérialisait ainsi ses craintes : être brutalement transplantée d'un lieu à l'autre, avec ses sœurs, sans leurs racines. Trois tiges côte à côte sont justement en train de mourir, en dépit de l'eau déversée d'un petit arrosoir en plastique.

— Votre papa m'a dit de bien vous embrasser. Il voudrait beaucoup voir ses filles, mais il a encore plein de travail...

— Il t'a vue, toi, dit Élise avec une nuance de reproche.

C'est vrai, ça, pourquoi elle et pas les petites ?

— On a juste eu le temps de déjeuner et il m'a demandé de vous acheter des cadeaux de sa part.

C'est elle, avant de quitter Bordeaux, qui a eu l'idée de s'arrêter devant une Maison de la presse où elle leur a pris des livres illustrés et des coloriages.

— Les cadeaux de papa, les cadeaux de papa ! réclament les enfants en trépignant.

Margot va chercher le sac en papier demeuré dans l'entrée, preuve matérielle de l'amour que leur porte leur père. Ce qui est vrai, même s'il n'a pas songé lui-même à le traduire en présents. C'est aussi tout ce que Margot peut leur dire. Elle a beau préférer d'ordinaire ne rien cacher aux enfants — de toute façon, ils savent tout, leur comportement le prouve —, elle ne voit pas comment formuler ce qui se passe entre leur père et leur mère sans les jeter dans la confusion. Leur excitation montre déjà combien elles sont sensibles au désordre actuel.

Pendant que les petites brutalisent les albums — ils sont là pour qu'elles passent sur eux leur énervement —, Margot s'assoit face à M. Pomerel.

— Alors ?

— Nous avons mangé dans un excellent restaurant.

C'est prendre le vieux monsieur par son faible.

— Qu'est-ce que tu as commandé ?

— Eh bien, du foie gras de canard, une escalope farcie et une mousseline de fraise.

— Hmmm...

Elle omet de lui dire qu'elle a pratiquement tout laissé dans son assiette, tant elle était sous le coup de ce que lui confiait Thierry.

— Caroline me trompe !

— Vous plaisantez !

— Je n'en ai guère envie...

Et de lui raconter comment un ancien camarade de faculté de Caroline a fait sa réapparition, voici quelques mois. Laurent Fignolles vient juste de divorcer et, mélancolique, semble trouver du réconfort à fréquenter leur foyer, partageant parfois leur dîner et même leur promenade dominicale avec les enfants. Il emmène alors sa fille, la petite Emmanuelle, dont la mère a la garde, mais qu'il a le droit — mot horrible, pour un père — de sortir un dimanche sur deux !

Émus par cette évocation, Caroline et Thierry ont décrété d'un commun accord qu'ils avaient horreur du divorce quand il y a des enfants : Emmanuelle devient caractérielle, c'est évident ! Par ailleurs, Thierry doit convenir qu'il a souvent pris plaisir à discuter avec Laurent, sous-directeur dans une banque et promis, c'est certain, à un grand avenir financier.

Maintenant, avec le recul, il se demande... Ou plutôt, toutes sortes de détails révélateurs lui reviennent à l'esprit. Certains soirs, Caroline venait l'accueillir à la porte en lui annonçant : « Laurent est là, il est passé te voir et je lui a dit de rester dîner ! » Ou bien : « Dimanche, Laurent a la garde d'Emmanuelle, il nous accompagne au cirque ». Mais il n'était jamais précisé si c'était lui ou Caroline qui avait téléphoné le premier !

— C'est tout ? a demandé Margot.

Non, Thierry a enregistré bien d'autres indices : ainsi, Laurent et Caroline sont étrangement calmes ensemble, ne se regardent pas, n'échangent que très peu de mots...

— Et alors ? Ils ne s'intéressent pas l'un à l'autre !

Thierry en conclut au contraire qu'ils se comportent comme des gens qui partagent une intimité telle qu'ils n'ont pas besoin de l'exprimer en public. Caroline, en présence de Laurent, a l'air si heureuse, resplendissante.

— Elle est satisfaite, elle a son mari, ses enfants, et en plus un ami...

— Un amant !

— Thierry, pourquoi voir le mal ?

— Alors, pouvez-vous m'expliquer pourquoi ma femme est descendue à l'hôtel sans me dire lequel ? Si ça n'est pas parce qu'elle s'y trouve avec un autre homme ? Et je n'en vois aucun autour d'elle, sauf celui-là, sans compter qu'il se trouve à Paris en août, j'ai vérifié.

— Vous lui avez téléphoné ?

— Pour l'inviter à dîner, et il m'a répondu qu'il n'était pas libre de toute la semaine... En août, vous vous rendez compte !

— Il a peut-être une maîtresse !

— C'est bien ce que je dis !

— Mais pas Caroline, une autre... Après tout, ce garçon est divorcé et libre...

— Oui, libre !

Margot sent qu'elle s'enfonce ! Elle a envie de lui dire : « Espèce d'idiot, si Caroline est remontée à Paris, c'est qu'elle est jalouse de vous ! Oui, de vous ! » Mais elle sent que ça n'est pas à elle de le lui dire. Ce serait trahir Caroline qu'établir dans son dos une alliance avec son gendre.

Son rôle, à ce moment-là, est d'écouter et de se taire. En parlant à la mère de sa femme, Thierry ne s'adresse pas à elle, mais à un substitut de Caroline, ce qui lui permet de faire le point.

Cela prend vite l'allure d'un monologue : « Je me rends bien compte que si Caroline voulait me quitter, elle me l'aurait dit ; or, elle ne m'a rien déclaré de tel... Et puis, si elle me trompait, elle n'avait pas besoin de me faire savoir qu'elle était à Paris. Au téléphone, vous pouviez me répondre qu'elle était en courses, à la mer, n'importe quoi, je vous aurais crue... En plus, elle pouvait rester à Salins, bien tranquille, l'autre serait venu la voir en week-end... Ni vu, ni connu... »

Quel talent chacun déploie pour monter des intrigues, des complots, échafauder des manigances ! Un être qui se croit trompé a l'imagination aussi fertile qu'un agent double, un romancier... Juste pour se faire du mal.

En revanche, aucune intuition du vrai. Rien n'est plus étranger aux humains que le réel, se dit Margot en dégustant son château-latour — elle a bu, si elle n'a pas mangé —, nous rêvons tous notre vie !

Si encore c'était pour la rendre plus belle !

— Puisque tu as si bien déjeuné, je suppose que tu n'as pas grand faim, dit M. Pomerel dont l'arrière-pensée n'est guère difficile à percer.

— Pourquoi me demandes-tu ça ? lui demande quand même Margot.

— Par cette chaleur, une fois les petites couchées, j'avais envie de vous emmener au restaurant, Violette et toi, tu sais, au motel, près de la piscine. Ça nous rafraîchirait.

Le grand amusement de M. Pomerel, maintenant qu'il ne va plus à la plage, c'est de se rendre dans ce motel nouvellement ouvert dont la piscine, située au pied de la terrasse où l'on consomme, permet, les jours de chaleur, de contempler tout en dînant les ébats des baigneurs. En particulier des baigneuses.

— Bien sûr, papa, je vais faire dîner les enfants et je demanderai à Mme Vauban de venir les garder.

— Très bien, dit M. Pomerel. Quand tu monteras, préviens Violette, elle se repose dans sa chambre !

Le vieil homme est enchanté. Qui pourrait lui en vouloir d'admirer des femmes nues en famille ? « Tu as vu cette cellulite ! » Comme il est un peu sourd, sa voix tonitrue et Margot agite la main pour le faire taire en lui soufflant : « Chut ! » Mais elle ne peut s'empêcher de sourire. Monsieur Pomerel s'intéresse avant tout aux femmes dont les formes surabondantes répondent à ses critères de la féminité. Pour le vieil homme, remarquer une cellulite est un compliment ! Les amazones d'aujourd'hui, poitrine plate et fesse dure, ne l'allument pas : « Elle en a, des muscles, celle-là, on dirait un garçon », grommelle-t-il sous sa moustache après le plongeon parfait d'une jeune gymnaste.

Il n'y a pas longtemps, Margot a retrouvé dans le tiroir d'une commode un paquet oublié de vieilles cartes postales. Les clichés jaunis représentent tous des jeunes personnes du début du siècle dans des tenues « coquines » : dessous affriolants, poses d'un érotisme naïf — l'une serre dans ses bras une poupée, l'autre embrasse son reflet dans la glace, plusieurs forment couple et se tiennent tendrement par la taille. Ces « poulettes » ont en commun d'être petites, rondes, tout en courbes, les mains et les pieds minuscules, les yeux grands ouverts et le sourire ingénu. Était-ce l'image de la femme « bandante » au temps où M. Pomerel séduisait sans compter ? Un être absolument différent du mâle par sa conformation, mais aussi sa faiblesse. Une chiquenaude, eût-on dit, et la voilà à terre ! Le masculin ne pouvait que régner en maître sur ces créatures désarmées.

Pourtant, certains sourires en coin laissent entendre que ces demoiselles affalées sur des sofas ou à plat ventre dans le foin devaient avoir plus d'un tour dans leurs petits sacs aux fermoirs travaillés. Le mensonge était alors la loi entre les hommes et les femmes.

Est-ce si différent aujourd'hui ? se demande Margot en contemplant Mme de Brizambourg, laquelle ôte tranquillement les arêtes de sa sole, sans rien remarquer, semble-t-il, des émois aquatiques de M. Pomerel.

Margot se souvient d'une scène presque identique entre elle et Pierre. C'était au Lido, à Venise. Ils s'étaient installés eux aussi à une terrasse bordant une vaste piscine d'eau de mer, mais, à l'inverse, chaque fois qu'une jolie fille entrait dans l'eau ou en sortait, c'était elle, Margot, qui la signalait à Pierre. Avec application, acharnement, sans doute pour que rien ne se passe derrière son dos, au cas où son mari aurait éprouvé du désir pour une naïade ou une autre.

Pierre, sirotant son chianti, ne disait rien, la laissant à ses commentaires.

Avec le recul, Margot se dit qu'en réalité, elle n'avait fait que dévoiler ses propres désirs, révélé son image mythique, idéale, de l'anatomie et de la beauté féminines — en somme, son propre érotisme.

Quant à celui de Pierre, elle en ignorait tout.

Qui sait si ça n'était pas la grosse serveuse aux aisselles mouillées, au cheveu gras, un bourrelet de chair au-dessus du bas, qui excitait son compagnon et à laquelle il avait pensé, le soir, en la prenant, elle, dans le lit de cet *albergho* où ils étaient descendus ? Alors qu'elle-même se pâmait sur ces rousses à la peau claire, à la taille archifine comme leurs attaches, en somme des « poupées » de magazines ?

D'ailleurs, qui s'extasie sur les beautés décharnées des magazines de mode, sinon les femmes ? Où sont les regards des hommes, pendant ce temps-là ?

— Vous avez vu la grosse, là-bas ? dit M. Pomerel à Mme de Brizambourg, tout en léchant d'une langue gourmande la crème à la vanille collée à sa moustache. On n'a pas idée d'avoir une poitrine pareille, on dirait un veau marin !

Comme Violette ne réagit pas, le vieil homme pose avec tendresse sa main un peu gonflée par les rhumatismes sur sa toute petite main à elle.

Sans qu'elle comprenne pourquoi, Margot a soudain les larmes aux yeux.

CHAPITRE XXI

— Les jours raccourcissent, soupire Violette d'une voix mélancolique. Ce sera bientôt la fin...

Comme presque tous les après-dîners, ils sont venus s'asseoir sur l'un des bancs du quai planté d'arbres qui longe la Charente. Tournant le dos au fleuve, tous trois contemplent le rougeoiement du soleil au moment où l'astre disparaît juste derrière le clocher de Saint-Eutrope. Chacun songe sans doute à la même chose, au temps qui passe et qui éloigne, sépare.

Depuis qu'elle vit quotidiennement avec M. Pomerel et Mme de Brizambourg, Margot a pu remarquer que la plupart des gens s'écartent, mine de rien, des personnes âgées ; on pourrait penser que c'est pour leur laisser la place ; en fait, ils semblent redouter leur contact.

« Ils pensent peut-être que ça s'attrape, la vieillesse ! Et qu'en la fuyant, on l'évitera... »

Les « vieux » ont-ils conscience d'être des épouvantails ? Margot ne parle jamais d'âge avec M. Pomerel, mais elle a observé qu'il adresse rarement la parole le premier aux inconnus, il passe en silence, tête baissée, comme pour bien voir où il met les pieds. Mais si quelqu'un se dirige vers lui pour quêter un renseignement, un grand sourire d'accueil illumine son visage et c'est avec empressement qu'il partage son savoir.

« Cela le rend si heureux de se sentir utile », pense Margot, indignée par l'idée, bêtement répandue, que ceux qui sont sortis du monde de la production ne servent plus à rien. « Alors qu'ils sont le sel de la terre, se dit-elle, comme les enfants, les malades et cette espèce hélas si précieuse : les enfants condamnés ! »

Sans ces souffrants, on oublierait que l'existence ne s'arrête pas à l'utilitaire, mais qu'elle est un passage vers l'autre monde.

« Mes jours aussi raccourcissent », se dit Margot. Elle n'arrive pas à s'en affecter quand elle sent grandir sa lucidité, comme maintenant.

M. Pomerel s'est lancé dans un exposé sur l'inclinaison de la Terre sur son axe, d'où résultent les saisons et le fait qu'il leur faut tous les soirs se rendre un peu plus tôt à leur banc d'observation.

— Vraiment ? dit Mme de Brizambourg qui se fiche de la rotation de la planète, mais pas de la montée de l'humidité. Si on rentrait ?

— Tout de suite, ma bonne amie, répond M. Pomerel en lui offrant son bras pour se relever.

Margot, elle, se relève toute seule, elle a voulu son autonomie, elle l'a jusque dans les petits détails. Cela consiste en particulier à ne plus avoir auprès de soi quelqu'un à qui raconter le soir ce qu'on a pensé de sa journée.

— Voulez-vous faire une petite partie de dominos avant qu'on aille se coucher ? demande son père à Violette.

— Si vous voulez, Séverin.

A une certaine époque, en vacances à la campagne, Pierre et elle jouaient aux cartes. Un grand calme s'établissait alors dans la pièce, comme si ces moments-là ne devaient jamais cesser. Peu de temps après, ils divorçaient. Auraient-ils mieux fait de parler, s'expliquer, chercher à comprendre, plutôt que taper le carton ?

— Tu joues avec nous ?

— Non, merci, je préfère monter me coucher et lire.

Mais elle ne lit pas. Lampe éteinte pour ne pas attirer les moustiques, fenêtre grande ouverte sur la nuit cloutée d'étoiles, Margot laisse aller son esprit. Moment d'abandon que choisissent peut-être des âmes pour entrer en communication avec les vivants... Qui sait ce que tentent de lui dire les invisibles, par cette nuit d'été odorante et silencieuse ? Margot se concentre plus encore afin de capter un éventuel message, quand le téléphone sonne.

Tâtonnant dans le noir pour décrocher l'appareil posé près de son lit, elle se met à rire : ça, c'est un coup des invisibles !

— C'est toi, Margot ?

— Oui, qui est-ce ?

— Moi... Pierre...

Margot se redresse, allume sa lampe de chevet. Mieux voir pour rester lucide !

— Je t'appelle parce que j'ai vu Caroline ! Elle est venue me trouver à mon bureau.

De toute évidence, si Pierre l'appelle, ce ne peut être qu'à cause de Caroline, leur commun souci.

— Que t'a-t-elle dit ?

— Elle veut divorcer...

— Ah !

Elle s'était levée, mais, jambes coupées, elle se laisse retomber sur le bord du lit. Caroline en est donc là ? Et comment se fait-il qu'elle en parle d'abord à son père, pas à sa mère ? A moins qu'elle n'ait appris sa rencontre de Bordeaux avec Thierry et qu'elle lui en veuille ? Elle ne lui a d'ailleurs pas téléphoné, depuis. Sa fille cherche-t-elle à la punir ?

Elle n'a pourtant rien commis de répréhensible. Mais quand un être est meurtri, tout lui est blessure...

A propos, qui est blessé, Caroline ou Margot ? Dès les premières paroles de Pierre, un mot s'est abattu sur elle comme un nuage porteur de catastrophes : divorce.

Divorce, avortement... Phonèmes brutaux qui lui font l'effet d'un bruit de curetage à vif — le divorce aussi attaque la chair, la chair de l'être ! Pierre parle tout seul, heureusement, car Margot, la gorge nouée, ne parviendrait pas à lui répondre.

— Elle est venue me voir au bureau et elle m'a déclaré tout de go : « Je fais comme vous, je divorce ! » Elle a même ajouté : « Tu vois, c'est de famille ! » Puis elle a éclaté en sanglots, et j'ai dû lui donner mon mouchoir, venir m'asseoir près d'elle, lui prendre la main, en fait la consoler comme quand elle était petite avant de pouvoir en tirer quelque chose...

— Et ensuite ? parvient à articuler Margot.

— Elle a fini par lancer que c'était très bien ainsi. Je lui ai répondu : « On ne le dirait pas, à te voir... » Alors elle a repleuré de plus belle. Puis elle a ajouté : « C'est la surprise qui me fait ça ! » Je lui ai demandé laquelle, et là, ça a été le flot... Elle m'a dit que c'était la première fois depuis longtemps qu'on se parlait vraiment, elle et moi, que ça servait à ça, les malheurs : à se découvrir les uns les autres, et qu'au fond c'était épatant !

Margot le perçoit à sa voix, Pierre est enchanté ! A croire qu'il l'appelle non pour lui dire que leur fille divorce et chercher avec elle comment empêcher ce drame, mais pour lui annoncer que Caroline est venue le voir pour la première fois depuis qu'elle est mariée, afin de se confier à lui. Et que c'est un événement merveilleux.

Eh bien, qu'ils le continuent, leur duo d'amour ! Margot est si irritée qu'elle manque de raccrocher. Toutefois, la raison lui revient. (Ou la curiosité.)

— Et alors, que comptes-tu faire ?

— Que veux-tu que je fasse ? Ce ne sont pas mes affaires ! Je lui ai dit qu'elle pouvait venir me voir quand elle voulait, je l'ai assurée de mon soutien, ma fille peut compter sur son père...

Belle occasion, en effet, de prendre une revanche de mâle sur son gendre !

— Tu ne lui as pas demandé pourquoi elle divorçait ?

— Ça n'était pas le propos...

C'est tout Pierre, ça : si pusillanime devant les événements psychologiques que si on ne le force pas à en tenir compte, il esquive, s'échappe, les tient pour rien !

— Tu te fiches de moi ?

— Mais non, Margot. Ce que Caroline voulait, au fond, c'était que je lui dise que ça n'est pas grave un divorce, pas dramatique du tout, et même tout à fait vivable. La preuve : le nôtre.

Cette fois, Margot demeure sans voix.

CHAPITRE XXII

Leurs têtes sans corps se balancent sur l'eau calme comme deux gros nénuphars. Margot porte un bonnet de bain en caoutchouc très ajusté pour préserver un peu ses cheveux permanentés. Ceux de Caroline, qu'elle a fait presque raser pendant son séjour à Paris, collent à son crâne rond comme un casque.

De légers mouvements suffisent à maintenir les deux femmes à deux ou trois mètres l'une de l'autre. Parfois, une vaguelette les rapproche au point que leurs visages se touchent et elles battent ensemble des bras pour reprendre de la distance.

— Il a bien fait ! insiste Margot.

— Enfin, maman, tu m'as toujours dit que si un homme te battait, tu le quitterais sur-le-champ ! Après l'avoir tué...

Revenue de Paris à cause des enfants qui l'avaient réclamée en pleurant au téléphone, Caroline a tout de suite déclaré : « J'ai vu Thierry et il m'a giflée ! » Accaparée par les enfants, elle n'a rien pu ajouter de plus.

Ce n'est que le lendemain, au cours de leur premier bain de mer — les enfants ont exigé d'aller à la plage —, que Margot obtient les détails de la « scène ».

— Je lui ai seulement dit que je voulais divorcer. Il

m'a répondu : « Pourquoi ? » J'ai dit : « Pour rien... » Et il m'a giflée.

— Il a bien fait !

C'est sorti d'elle comme une seconde paire de gifles, verbale, celle-ci !

Caroline n'en revient pas. Elle s'attendait probablement à des consolations indignées : « Te faire ça à toi, ma petite chérie ! Ce garçon mérite une punition sévère, ça lui apprendra à s'attaquer à ma fille ! » Comme le jour où elle était revenue de classe, la joue tuméfiée après une bagarre avec un camarade (qu'elle avait sérieusement asticoté, Margot s'en doutait, mais la petite ne l'avoua jamais ! Et personne ne voulut écouter les protestations du pauvre balourd...).

— Tu sais que j'aurais pu aller voir un médecin, faire constater que j'avais la joue enflée, déposer une plainte au commissariat, et je l'aurais eu, mon motif de divorce ! Brutalités conjugales !

— Pourquoi ne l'as-tu pas fait ?

Caroline hausse ses épaules hâlées qui sortent un instant de la mer.

— Au fond, je n'en sais rien... Par pudeur, je suppose. Ou alors par lâcheté !

— Parce que tu savais que tu l'avais mérité, avoue-le !

— Demander le divorce est un acte sérieux, d'après ce que j'en sais, pas un crime !

— C'est la façon dont tu l'as fait, sans raison, sans apporter de justifications, qui constitue une agression. Thierry a réagi comme quelqu'un d'agressé... En plus, il a dû avoir le sentiment que tu n'étais pas dans ton bon sens, il a voulu te ramener à toi !

— Enfin, maman, c'est incroyable : tu prends son parti contre moi !

— Je ne prends le parti de personne, je voudrais t'aider à te rendre compte que tu, que tu...

Elle a envie de dire : que tu dérailles. Le mot est trop fort, mais elle n'arrive pas à en trouver un autre. Heureusement, Caroline reprend la parole.

— Papa, lui, ne m'a pas dit ça... Il m'a comprise !

— Vraiment ? Et cela s'est manifesté comment ?

— Il m'a dit que... Eh bien, que j'avais bien le droit de divorcer si j'en avais envie !

— Tu as aussi le droit de sauter du haut de la tour Eiffel ou des tours de Notre-Dame. Mais est-ce raisonnable ?...

— Il ne s'agit pas de raison, mais d'amour.

Là, Caroline marque un point.

— Je veux dire : est-ce bien cela que tu veux vraiment ? Es-tu vraiment en accord avec toi-même ? Est-ce que tu ne te laisses pas emporter par une jalousie stupide et, au surplus, sans motifs ?

Caroline lui jette un regard vert d'entre ses épais cils noirs, un léger sourire vient à ses lèvres. Elle est à la fois ravissante et... oui, à gifler !

— J'aime quelqu'un d'autre...

Thierry avait donc raison ! Une sensation glaciale s'empare de Margot.

— J'ai froid, je sors.

En regagnant la plage, elle s'aperçoit en effet qu'elle a la chair de poule et claque même des dents. Pourquoi la déclaration de sa fille lui fait-elle un tel effet ? Caroline, qui s'attarde dans la mer, a entrepris une longueur en crawl, sa nage favorite. Sans doute pour laisser sa mère digérer la nouvelle. Ou parce qu'elle se sent parfaitement bien.

Les trois petites filles, demeurées sur la plage en compagnie de Maria, se précipitent vers leur Mamie pour lui montrer leurs dernières trouvailles, algues, coquillages, gros galets aux formes douces.

— Mes agneaux, murmure Margot en tentant de les réunir toutes trois dans ses bras.

Les agneaux du sacrifice, c'est comme ça qu'elle

les voit, mais les enfants glissent, se tortillent, lui échappent, elles n'ont aucune envie d'être emprisonnées, fût-ce dans de la tendresse, toutes à leur joie de l'exploration.

Elles aussi, comme leur mère, ont envie d'« autre chose ».

Il n'y a que Margot à n'avoir celle que de l'immobilisme, de rester à protéger, garder, conserver les siens.

Elle s'allonge sur le drap de bain que lui étend obligeamment Maria, laisse le soleil la réchauffer. Ses pensées tourbillonnent.

Qui est-ce ? Ce Laurent, probablement, dont lui a parlé Thierry. Était-il déjà l'amant de Caroline ? Ou a-t-elle démarré l'aventure au cours de son séjour à Paris ? Pour se prouver qu'elle aussi pouvait plaire, tromper ?

L'espoir lui revient : si c'est par vengeance que Caroline s'est laissée aller, ça ne durera pas !

CHAPITRE XXIII

D'un jour sur l'autre, tout sombre dans la chaleur. Une vibration de l'air et de la lumière a averti les premiers levés que la canicule avait pris le pouvoir. Les oiseaux chuchotent comme s'ils réservaient leurs forces pour l'assaut du plein midi. Arbres et plantes, figés dans l'absence de souffle, paraissent eux aussi se préparer à l'épreuve.

Caroline arrose les plus fragiles : impatiens, pétunias, lagestremias. Mais ça ne suffira pas, tout va se dessécher, griller. Déjà le gazon jaunit. Pieds nus sur le carrelage de la cuisine, elle se sert un premier café, noir et sans sucre. Elle non plus n'apprécie pas la chaleur, plus sournoise que le froid, aucun recoin ne lui échappe. La cour, le jardin, le grenier, le dernier étage vont se transformer en fournaise. Au fil des jours, cet enfer s'infiltrera par les portes et fenêtres, descendra l'escalier. Quand le rez-de-chaussée sera atteint, il n'y aura plus de refuge.

Seule la nuit apporte un semblant de soulagement.

L'entrée dans la mer, aussi, mais on ne peut y passer son temps. Les enfants, elles, pataugent sans relâche sur son bord, comme le chien. Au retour, il faut les doucher et passer l'animal au jet, sinon son cuir rosit sous l'action du sel, le démange.

Ceux qui souffrent le plus, ce sont les personnes

âgées dont le système thermique fonctionne au ralenti : ils ont plus vite froid et plus vite trop chaud que les autres, comme les bébés, et il faut les obliger à boire toutes les heures, malgré leurs protestations.

— Papa, même si tu ne ressens pas la soif, tu te déshydrates et c'est dangereux !

Qu'est-ce qui n'est pas dangereux ? Margot a laissé Caroline à Salins, avec Maria et les enfants. Elle a senti que sa fille souhaitait se retrouver seule, et puis, à Saintes, par ce mauvais temps — la canicule, c'est du mauvais temps —, on a besoin d'elle.

Pour aller tôt faire les courses, disposer les volets en tuile, partir faire un tour en voiture « à la fraîche »...

Que se passe-t-il, là-bas, en son absence ? Où en sont les enfants ?

Installée sur une chaise longue, dans la marge d'ombre de la façade nord de la maison, Margot se dit qu'elle ne sera plus jamais « unifiée ». Depuis que Caroline est venue au monde, une part d'elle-même est toujours ailleurs, en alerte, sur le qui-vive, à attendre des nouvelles des enfants : que va-t-il leur arriver ? Ce sentiment d'être divisée s'est encore accentué à la naissance des petites.

On parle de cordon ombilical : elle n'a pas porté ces enfants-là dans son ventre, pourtant elle souffre d'avance, dans son corps, du mal qui pourrait les frapper.

Elle n'est pourtant pas Dieu tout-puissant, elle ne peut rien empêcher. Son rôle, c'est de demeurer en réserve, prête à voler au secours. Si on le lui demande.

C'est à ça que servent les parents, une fois les enfants devenus grands ; à attendre — une visite ou un appel. Ils ne sont plus en première ligne, ça n'est plus à eux d'aller de l'avant dans la divine insouciance de ce qui se passe derrière soi.

Margot se lève, rentre, monte au premier voir si les « vieux » sont réveillés. Elle se sent forte encore, pleine d'allant, de désirs aussi. Si seulement elle avait quelqu'un avec qui les partager !

L'après-midi, une visite vient à propos rompre le huis-clos imposé par la chaleur où la maisonnée s'enlise. Désormais veuve, Mme Filauzel, Saintaise de souche, entretient sans relâche le réseau d'amitiés constitué du temps de son mari. Elle rend visite à tour de rôle à chacune de ses connaissances, n'hésitant pas, dès qu'il lui semble avoir négligé quelqu'un, à affronter le chaud ou le froid dont, malgré son âge, elle ne semble guère souffrir.

M. Pomerel est toujours ravi lorsqu'elle s'annonce, car Marie-Louise a le talent de faire la gazette. Sans cesse sur la brèche, elle sait tout des déplacements, fiançailles, ruptures, changements de situation, déménagements — ces incidents de l'existence qui ne se lisent pas dans le carnet du *Sud-Ouest*.

Margot, qui se charge de l'introduire et de veiller à la faire asseoir du côté de la bonne oreille de M. Pomerel, bénéficie, en servant les rafraîchissements, du premier flot de nouvelles juste glanées.

— Les Panazol ne vont pas quitter Saintes cet été, ils laissent leur villa de Pontaillac à leurs enfants, déclare Marie-Louise avant de tremper ses lèvres dans son cassis à l'eau.

— Mais c'est une grande baraque, il y a bien assez de place pour toute la famille ! s'exclame M. Pomerel qui a l'art de dénicher les « loups ».

— C'est que...

— Quoi donc ?

— Eh bien, je crois qu'entre la belle-mère et la belle-fille, ça tire un peu.

— Comment se fait-il ? continue M. Pomerel, mimant l'innocence. Elle m'a paru charmante, cette jeune femme !

— Enfin, Séverin, vous savez bien, c'est l'origine... Elle n'est pas du même milieu que les Panazol ! D'ailleurs, ils ne voulaient pas de ce mariage...

— Et alors ? Maintenant qu'il y a deux enfants, ils n'ont plus qu'à s'y faire.

— Oui, mais ils ne se font pas à sa façon de vivre...

M. Pomerel s'incline de côté pour mieux tendre l'oreille vers Marie-Louise Filauzel, il sent qu'on entre dans du « savoureux », son après-midi ne sera pas perdu !

— Que voulez-vous dire, ma bonne amie ?

— Eh bien, c'est la pagaille ! Chacun se lève quand il a envie, la jeune femme ne s'occupe pas des repas, elle se contente d'ouvrir des boîtes de conserve...

— Pas possible ! Avec des parents dans l'alimentation, elle n'a pas appris mieux ?

— Justement, chez elle, on allait au plus vite, puisqu'on avait tout sous la main. Elle continue.

— Et le mari ne se fâche pas ?

— Vous savez bien que Justin a toujours été un mou, et puis il est en admiration devant sa femme.

— Qu'est-ce qu'il lui trouve ?

— Ça, mon cher Séverin, ce qu'un homme trouve à une femme, vous savez bien que c'est le mystère... A propos, êtes-vous au courant ?

— De quoi ?

— Geneviève quitte Gérard.

— Ça alors, après trois ans de mariage ? C'était bien la peine d'embêter le monde comme ils l'ont fait en lâchant chacun leur conjoint !

— Eh bien oui, c'est l'opinion générale !

— Elle est revenue avec son mari ?

— Pas du tout, elle est partie, écoutez bien, avec le premier clerc !

— Mais elle est folle !

— Plus ou moins. C'est le fils du cognac Grandier, il faisait un stage chez Gérard, son père voulait qu'il ait toutes les connaissances possibles avant de reprendre l'affaire.

— Mais Geneviève n'est plus toute jeune... Et lui, quel âge a-t-il ?

— Tenez-vous bien, ils ont quinze ans de différence !

— Mon Dieu, mais les Grandier doivent être dans un état !

— Roselyne pleure tout le temps, Édouard voulait déshériter son fils, seulement il n'a que lui !

— Alors ?

— Je leur ai conseillé d'attendre.

— Vous avez bien fait, dit M. Pomerel d'une voix forte et en saisissant sa canne pour en donner trois coups sur le plancher, comme s'il annonçait un lever de rideau. Ces affaires-là ne durent jamais !

— C'est exactement ce que je leur ai dit ! Vous vous souvenez d'Henri Lefol avec Marie-Claire Crevant ?

— Et comment !

— Au bout d'un an, que dis-je, huit mois, il la plaquait pour une plus jeune et elle n'avait plus qu'à rentrer chez elle, la queue basse, si je peux me permettre...

— Qui a la queue basse ? demande Mme de Brizambourg qui, après avoir achevé sa sieste dans sa chambre, vient juste d'apparaître, fraîche et rose.

— Une personne de notre connaissance, explique Séverin, qui a défrayé la chronique en plaquant mari et enfants pour partir avec le fils des meilleurs amis du ménage ! Ça a fait un scandale à tout casser...

— Il y avait les contre, mais il y avait aussi les pour, précise Marie-Louise Filauzel. Il faut avouer qu'Henri avait un charme fou et que plus d'une dame de Saintes devait se dire *in petto* que Marie-Claire avait bien de la chance...

— Fariboles ! s'exclame M. Pomerel. Quand on a

un bon mari, des enfants en bas âge, une grande maison et de l'argent, on reste tranquille.

— Elle était peut-être très amoureuse, dit Mme de Brizambourg d'un air rêveur.

Margot s'éloigne. Elle entend la voix de Caroline lui dire : « Je l'aime... » Prononcée par une femme, cette phrase est lourde de menaces. Rien, aucune « raison » d'aucun ordre ne peut retenir une amoureuse sur le chemin de la passion.

« La passion devient alors une morale, se dit Margot. La seule valable, la plus haute. Trahir la passion, c'est trahir... tiens, le Christ ! »

Elle est allée au jardin où tout cuit et recuit sous un soleil décidément ennemi.

« Mon Dieu ! se surprend-elle à murmurer. Faites que ça ne soit pas vrai. Que Caroline ait dit ça seulement pour s'étourdir, se convaincre qu'elle pouvait plaire... Faites qu'elle ne soit pas vraiment amoureuse ! »

Drôle de prière.

Elle aussi a adoré l'amour-passion, avec tout ce qu'il entraîne de renouvellement et de métamorphose.

A présent, elle n'en voit plus que les inconvénients : la destruction, le gaspillage, l'impasse. La souffrance, aussi. Pourtant, l'amour est promesse de bonheur. De plaisir. D'intensité.

Elle se revoit piétinant d'impatience parce que l'homme avec lequel elle devait sortir était en retard. Ou montant la garde devant le téléphone. Elle tentait de prendre un air désinvolte, à cause de Caroline. C'était juste après son divorce. Comment s'appelait-il, celui-là, Jean-Claude, Étienne, Lucas ? Dire qu'elle a tant vibré et qu'elle ne se souvient même plus des prénoms, qu'elle les confond.

Caroline était-elle dupe ? Elle levait sur sa mère son large regard d'enfant qui s'interroge lorsque les adultes ne sont plus logiques, eux qui ne cessent d'en appeler à la raison. « Fais ton lit et range tes vêtements », « On ne peut pas se permettre d'acheter ça ce mois-ci », « On ira au cinéma quand tu auras fini ton travail, pas avant... » Soudain, plus rien ne compte qu'une excitation dont l'enfant semble ne pas comprendre l'origine, en tout cas qu'il ne partage pas. Le désir.

Oui, c'est de son propre désir que Margot ne se souvient plus. Folie périssable qui lui paraît si dépourvue d'importance, aujourd'hui, à côté de l'impérieux devoir de conserver un foyer aux petites. Qu'est-ce que le désir, sinon, par définition, ce qui passe, s'oublie — mais pas la souffrance, pas les ravages que cause une séparation, un divorce.

Que lui arrive-t-il ? Est-elle devenue conformiste, elle aussi, comme Marie-Louise et les « vieux » en train de dauber sur les affaires d'amour d'autrui, bien incapables pour leur compte de quitter leur fauteuil sur un coup de sang ? L'amour, n'est-ce pas pourtant la chose la plus précieuse du monde ?

« Je l'aime », a dit Caroline d'une voix si mélodieuse. Comme si elle était entrée dans un autre monde, tout de douceur et de beauté, auquel le réel n'atteint plus.

« Je t'aime », murmure tout haut Margot pour voir si elle aussi est encore capable, à son âge, de prononcer sur le ton qu'il faut les mots magiques.

Juste à ce moment, un léger souffle de vent se lève, qui lui rafraîchit le visage et le cœur.

CHAPITRE XXIV

Églises, châteaux, cathédrales, la Saintonge est parsemée de ces monuments de prestige qui sidèrent les touristes alors qu'aux yeux des habitants ils font seulement partie du paysage. Du tout-venant. Et qui servent de repères : « Voilà les trois clochers, on approche de Saintes » — de lieux de rendez-vous : « Attends-moi sur le parvis de la cathédrale Saint-Pierre, on ira faire les courses » — de buts de promenade : « Si on allait prendre l'air à la Roche-Courbon ? »

C'est le plus admirable, le plus grand château de la région. Cinq cents ans d'âge, deux cent quarante hectares de terres, deux tours, un donjon, une chapelle, quatre cents mètres carrés au sol.

Sur la façade, à plus de deux mètres de hauteur, une terrasse à laquelle on accède par deux escaliers offre son lourd balcon Renaissance au visiteur. D'ici, l'œil embrasse tout le parc, ses ifs, son grand bassin, jusqu'aux bois qui ferment l'horizon. C'est somptueux. Simple aussi : rien de biscornu ni d'inutile dans l'architecture, la grandeur nue.

Une telle œuvre ne va pas sans préméditation.

« Qui étaient ces gens ? » se demande Margot en tenant le bras de son père qui se hisse lentement par l'un des escaliers tournants ; les petites filles, elles, se sont envolées comme des papillons jusqu'au haut des marches, après avoir caressé les lions de pierre du grand bassin.

Quelle mentalité pouvaient bien avoir ces bâtisseurs, quelle confiance en l'avenir, pour concevoir des constructions aussi gigantesques et les mettre en route sans la certitude d'assister à leur achèvement ? Quelle idée se faisaient-ils de la souveraineté de l'homme ?

Demeures de princes du temporel que ces bâtisses à objectif militaire où règne l'apparat. A l'intérieur, lambris, parquets, élégance des proportions — Margot a fait plusieurs fois la visite guidée —, tout parle de bien-vivre, de tranquillité d'esprit, d'élégance. Le spirituel n'est pas oublié : la chapelle a les proportions d'une église.

D'ailleurs, la foule qui s'y presse tout l'été redresse instinctivement le dos, baisse le ton, ne jette pas ses papiers gras — en tout cas, moins qu'ailleurs. Quelque chose de la dignité de l'espèce s'est déposé dans cet amas de pierres et se communique à ces jouisseurs au petit pied que sont devenus la plupart des humains.

C'est un frisson nostalgique qu'ils viennent inconsciemment chercher ici : voir plus haut, plus loin en eux-mêmes, comme du sommet d'un pic et non sans quelque vertige.

— Cher ami, quelle surprise ! Pourquoi ne nous avez-vous pas prévenus de votre visite ?

Le propriétaire du château vient de les apercevoir à travers l'une des portes-fenêtres de la terrasse et l'ouvre pour accueillir M. Pomerel, un ami de longue date.

— Nous ne voulions pas vous déranger, je sais que vous êtes très occupé à cette époque de l'année !

Leur hôte sourit.

— Plus de sept cents personnes, hier dimanche...

Aujourd'hui n'est pas mal parti non plus. Mais tout se passe bien ! Ne bougez pas, je vais vous faire apporter des chaises et je vais prévenir ma femme.

Les voici bientôt installés autour d'une table et d'une tasse de thé, insoucieux des touristes qui vont et viennent, à bavarder avec la maîtresse des lieux.

Mais il est presque impossible à Margot de fixer leurs hôtes, tant son regard est happé par ce qu'elle envie d'appeler « le large » : la vue sur ces jardins minutieusement travaillés où la nature, soumise au désir de l'homme, est devenue une « seconde nature ». Larges allées sablées, harmonie des jeux d'eau, bancs à l'ombre, tout est conçu pour le bien-être, le plaisir de l'œil et des sens.

M. Pomerel s'informe : en « bon père de famille », il tient à savoir combien de mètres de canalisations ont été nécessaires pour remettre en état le troisième bassin qui fuyait, s'il est possible de chauffer l'hiver, où en sont les travaux de réaménagement des combles. Il n'ose demander des chiffres, mais Margot devine que c'est ce qui l'intéresse : il embrasse mieux l'ampleur d'un problème lorsqu'il est chiffré.

Leur hôtesse doit le sentir, car elle les fournit obligeamment. Ils sont bien entendu considérables, et M. Pomerel s'exclame, son admiration portée à son sommet !

— C'est pourquoi, dit-elle, nous avons dû nous soumettre à l'obligation de visite, ainsi l'État nous aide.

— Il est évident que des particuliers ne parviendraient pas à entretenir seuls un tel domaine !

Margot a envie de rire. M. Pomerel, qui a le goût de la propriété, tente de se mettre à la place de ses amis et, bien sûr, n'y parvient pas. Tout, ici, dépasse le commun. C'est comme un rêve un peu fou.

Les enfants sont redescendues au galop et se penchent sur le bassin pour tenter d'apercevoir les poissons. L'eau est peu profonde, mais vaseuse. Margot n'a nulle envie de voir l'une ou l'autre des petites prendre un bain forcé dans ce semblant de marécage, elle se lève en s'excusant et court les rejoindre.

— Mamie, regarde, il est gros, gros, gros, celui-là ! Tu crois qu'il est méchant ?

Tout ce qui est gros, aux yeux des enfants, est forcément plus méchant que ce qui est petit. Et les piranhas, alors ?

— Mais non, ma chérie, c'est une carpe, regarde comme elle ouvre la bouche tout rond, je crois qu'elle te dit bonjour.

Mélissa tend la main vers le poisson qui, en fait, réclame quelques miettes. Besoin inné, chez les enfants, d'entrer en communication avec tout ce qui vit.

— On peut avoir une glace ? demande Élise. Il fait chaud !

— Où as-tu vu des glaces ?

— A l'entrée, près de là où on a laissé la voiture...

— Eh bien oui, en sortant !

— Non, tout de suite !

— Oui, gémit Amyette, il fait chaud.

Accepter, refuser ? En ce moment, Margot n'arrive pas à faire preuve d'autorité avec ses petites filles. Elles lui paraissent si démunies, ou est-ce elle qui « projette » ?

Caroline, une fois de plus, les lui a confiées :

— Pour trois jours seulement, Maman, j'ai un voyage à faire.

— Où ça ?

— Écoute... Je te le dirai à mon retour, je préfère pas maintenant.

— Et Thierry ? S'il appelle ?

— Il n'appellera pas.

Mystère, brouillard. Tout s'est fait si précipitamment, en quelques instants. Caroline avait débarqué les bagages des enfants, embrassé son grand-père et Mme de Brizambourg, agité la main en direction de sa mère, les petites filles étaient déjà dans le jardin, à dire bonjour à la tortue, et elle est repartie.

Pour où ? Attirée par quoi, vers quoi ? Ou vers qui ? Margot a le cœur serré. En même temps, Caroline n'avait pas l'air malheureuse, elle était même éblouissante dans son tailleur de shantoung beige, une tenue plus habillée qu'à son ordinaire.

Avec son gros collier de perles Chanel, elle avait l'air d'une top-model. « Je comprends qu'elle ait envie d'en profiter... », s'était dit Margot. Un corps jeune, lisse, beau, est un cadeau de la vie qui dure si peu. Il est bien temps, après, d'embrasser la vertu ! Oui, c'est un autre rapport qui s'institue avec soi-même quand on ne se sent plus objet de désir.

Les petites filles lèchent consciencieusement leurs boules glacées, chacune ayant l'œil sur celles des deux autres. L'idée, c'est d'aller le plus lentement possible pour en avoir encore quand ses sœurs n'en ont plus ! Mais il fait très chaud — moins que la semaine dernière, pourtant — et les glaces coulent, s'effondrent... Le vainqueur est en même temps le perdant !

Déguster l'amour à tout petits coups est peut-être également une erreur ; mieux vaut tout dévorer dans l'acmé de la passion.

M. Pomerel a exprimé le désir de rentrer. Accompagnés par leurs hôtes, ils regagnent lentement la voiture. Mme de Brizambourg, un peu lasse, est demeurée à la maison et M. Pomerel s'inquiète d'elle.

Plus exactement, il a envie de lui raconter tout ce qu'ils ont fait, vu, tout ce qu'il a appris de nouveau sur la Roche-Courbon — c'est inépuisable —, en commençant comme d'habitude par une phrase qui irrite inévitablement ses interlocuteurs, et qui est sa façon sournoise de les punir de ne pas l'avoir accompagné :

— Vous avez eu grand tort de ne pas venir, ma chère amie ! Vous ne savez pas tout ce que vous avez manqué...

Et elle, Margot, que manque-t-elle en ce moment ? Elle n'arrive pas à l'envisager, mais elle a la conviction qu'elle passe à côté de quelque chose d'essentiel.

Ce ne peut pas être en jouant les grand-mères gâteau qu'elle fait avancer sa vie.

CHAPITRE XXV

Le jardin et la maison se révèlent un vrai royaume pour les petites qui ne cessent d'ouvrir des tiroirs, de farfouiller dans les coffres, celui de l'entrée, en particulier, où M. Pomerel accumule depuis toujours des objets disparates qui ne servent plus, mais dont il n'est pas pour autant disposé à se séparer. Kaléidoscopes crevés, lanterne magique démantibulée, sous percés dans des boîtes de pastilles Vichy, clubs de golf rouillés, étriers aux lanières de cuir durcies, fanions de courses automobiles, lanterne de fiacre, restes d'une vie éclectique, sportive, parfois vagabonde.

— Grand-père, regarde ce que j'ai trouvé !

Le cri fuse toutes les cinq minutes, et M. Pomerel, ajustant ses lunettes et sa mémoire, tente de retrouver l'usage, l'origine et le nom de l'objet parfois informe que l'une ou l'autre des petites filles vient déposer sur ses genoux.

Une fois la « chose » identifiée, elle perd beaucoup de son intérêt, ayant repris rang dans le monde du raisonnable, et l'enfant la rapporte au coffre pour y plonger à la recherche d'un nouvel inconnu.

Cette fois, face à une sorte de montage hétéroclite que n'eût pas désavoué un sculpteur moderne, composé de bois, de fils métalliques — de loin, Margot a d'abord cru à une résistance —, d'un balancier et d'un reste de celluloïd, M. Pomerel donne sa langue au chat.

Du coup, les trois petites filles, retenant leur respiration, se sont groupées contre ses genoux, et les trois têtes aux cheveux soyeux pressées contre celle aux cheveux blancs, les complices investiguent.

— On dirait un appareil photo, dit Amyette qui en rêve.

— Et où serait l'objectif ? demande M. Pomerel.

— Grand-père, grand-père, j'ai une idée !

La voix de Mélissa monte au sommet de son registre :

— C'est une *saugrelle* !

— Une saugrelle, qu'est-ce que c'est ?

— Tu sais bien, ça fait ça, et ça, et ça !

Mélissa s'est mise à sauter à pieds joints, comme un petit kangourou.

— Elle veut dire une sauterelle, laisse tomber Amyette d'un ton dédaigneux. Tu sais bien qu'une sauterelle, c'est vivant, et ça c'est mort ! ajoute-t-elle, péremptoire, à l'intention de sa sœur.

— Mais, avant d'être mort, c'était vivant ! proteste Mélissa.

C'est au tour d'Amyette de se taire face à une telle évidence.

— Je ne crois pas, dit M. Pomerel, parce qu'on verrait des pattes et je ne vois pas de pattes.

— Et si c'était une cuisinière ? dit Élise. J'en ai eu une pour jouer, il y avait un petit trou comme ça pour le four...

— Ça pourrait être une chaufferette, en effet, dit M. Pomerel, mais c'est ce ressort qui m'embête... Laissez-moi voir. Élise, apporte-moi la grosse loupe qui est sur mon bureau.

Les archéologues en herbe se concentrent. Margot, du fauteuil où elle feuillette un magazine, entend leurs souffles. Tout à coup, M. Pomerel s'exclame d'un ton triomphant :

— J'ai trouvé !

— C'est quoi ? dit Élise, d'une voix d'avance déçue.

Elle a raison de s'attrister ; le mystère percé, la poésie s'envole :

— Un mécanisme de poupée. C'est ce qui permettait aux poupées en porcelaine d'autrefois d'ouvrir les yeux, de les refermer et de faire « ouin, ouin » quand on les balançait d'arrière en avant...

— Ah !

— Je veux voir la poupée !

— Elle a dû être cassée depuis longtemps, ces baigneurs-là étaient fragiles.

— Maman m'a dit qu'elle m'en ramènerait une quand elle reviendrait, une qui ne se casse pas. Une poupée pour toujours ! crie Amyette.

— Moi aussi, je veux une poupée ! Quand c'est qu'elle revient, maman ?

— Et moi, je veux maman, dit Mélissa.

M. Pomerel est décontenancé, il ne s'attendait pas à provoquer cette explosion par la simple identification d'un objet sans utilité.

Margot vient à son secours.

— Demain.

— Demain, chic !

— Votre maman a dit qu'elle partait pour trois jours, et demain ça fera trois jours.

— Elle a téléphoné ?

— Pas encore, mais elle va sûrement le faire.

« Mon Dieu, faites que ce soit vrai ! » se dit Margot. Elle aussi, comme les petites, pense sans cesse à Caroline, au retour de Caroline. Pourvu qu'elle revienne, pourvu que la folie ne l'entraîne pas au-delà de tout recours, là où l'on oublie tout, même qu'on est mère !

L'a-t-elle jamais oublié, pour son compte ? C'est vrai qu'elle n'a pas abandonné Caroline, du moins dans les faits. Mais elle n'a pas hésité, elle non plus, à courir joyeusement le guilledou, juste avant le divorce, et à ne pas rentrer le soir. Mais elle s'arrangeait toujours pour que Pierre fût là. Ou alors la jeune fille au pair.

Plus tard, quand elles ont vécu toutes les deux, elle ne serait pas partie en voyage ou en week-end sans la petite. C'est même ce que lui reprochaient les hommes de sa vie, à ce moment-là, de l'imposer en tiers, où qu'ils aillent.

Pourtant, au moment des vacances, il lui est arrivé de la confier à sa mère, alors vivante. Quand elle la retrouvait, Caroline — super-gâtée par ses grands-parents — ne se plaignait jamais.

— Tu ne t'es pas ennuyée avec Mamie ?

— Non.

— Tu t'es amusée ?

— Oui.

C'était dit sans entrain, mais Margot s'en contentait. Refoulant la pensée que le comportement de Caroline impliquait un reproche : « Maman, tu m'as abandonnée... »

Mais non, on n'abandonne pas un enfant parce qu'on tente de vivre pour soi ! Une indignation la saisit : une femme n'a pas à être vissée définitivement au foyer sous prétexte qu'elle a mis au monde un enfant. Ce serait trop injuste, inadmissible...

Soudain, elle se sent du parti de sa fille. Que Caroline en profite ! On n'est jeune qu'une fois, quelques courtes années. Tant qu'on bénéficie de ce corps lisse, irréprochable, derrière lequel une femme se sent forte. Un corps dénudable à tout instant devant n'importe qui.

Après...

Le soir, dans sa chambre, une fois les enfants couchées, M. Pomerel et Mme de Brizambourg devant la télévision, Margot s'examine dans la glace. Toute nue.

Il y a des années qu'elle ne s'y risque plus, ou rarement. Quand elle s'habille après son bain, c'est en tournant le dos au miroir. L'été, elle ne porte plus que de vieux maillots une pièce, sous prétexte que l'usure lui est bien égale, en réalité parce qu'elle n'a pas le courage d'aller essayer des maillots neufs devant l'impitoyable glace à trois faces des magasins. Sous l'œil glacé des vendeuses : « Celui-là vous va très bien, Madame ; d'ailleurs, le noir mincit toujours. »

Mais n'enlève pas la cellulite... Il n'y a rien à faire, à partir de la cinquantaine, régime ou pas, le corps d'une femme se capitonne. S'affaisse. Le tronc, au lieu de jaillir vers le haut, se laisse aller vers le bassin ; les genoux plient.

Margot a longtemps poursuivi ses cours de danse où elle a appris, entre autres, à tendre au maximum le genou, et elle s'y exerce quand elle attend, à l'arrêt de l'autobus ou au bas de l'ascenseur. Elle bloque ses articulations en position droite et, aussitôt, le dos se redresse, le cou s'allonge.

Reste qu'elle doit y penser, que c'est un effort. Autrefois, la tension de son jeune corps vers le ciel allait de soi, comme si elle était tout entière une lame de chair.

Les seins, lourds, atteignent presque la dernière côte ; ça n'est pas qu'ils soient difformes, c'est qu'ils sont la proie de la pesanteur. Les fesses aussi s'abandonnent, et le ventre « bidonne ». Non qu'elle ait pris tellement de kilos, au contraire, elle est considérée comme « mince » par un entourage qui s'en moque bien, en fait, de la silhouette d'autrui, mais c'est elle qui constate les dégâts, inéluctables.

Ce qu'on appelle les marques de l'âge, et qui rappelle quotidiennement à ceux qui vieillissent que leur enveloppe charnelle va les trahir bien avant leur mort. Alors même que la vie, tenace, continue de les habiter, jour après jour, ils se sentent de plus en plus emprisonnés dans cet appareil qui tout à la fois durcit, s'amollit, répond mal à la demande. Ils renoncent peu à peu à faire ce qu'ils ont le mieux aimé, pour certains le sport, pour d'autres l'amour.

Est-ce par sens esthétique, dignité ? Margot se dit qu'elle n'aurait plus le courage de se mettre nue devant un inconnu, comme elle le faisait autrefois, d'un geste. A l'époque de sa plus grande beauté, elle avait le sentiment d'être un « cadeau » qu'elle offrait à son partenaire, quels que fussent son âge ou son allure. Peu importait d'ailleurs son physique à lui du moment que l'un des deux, dans le couple — elle, en l'occurrence —, était présentable, et même mieux. L'acte d'amour lui semblait, par là, sauvé de l'obscénité.

Car c'est cela qui lui paraît inconcevable, inacceptable, aujourd'hui : l'accouplement de chairs fripées. Un instant, son imagination se fixe : ballottement de peaux relâchées, grincement d'articulations sans souplesse, lenteur des réflexes, maladresse dans les gestes.

Non, ça n'est plus possible ! Ce serait trop laid, dégoûtant même.

Elle enfile vite sa courte chemise de coton pour ne plus s'imposer à elle-même un spectacle qui ne la comble plus. Et se morigène : n'est-elle pas trop orgueilleuse ? L'amour souffle là où il veut, le désir aussi, attirant parfois la beauté vers la disgrâce, des êtres handicapés transfigurés par le désir.

Peut-être manque-t-elle en effet d'humilité.

En réalité, on ne peut se désirer soi-même que si un autre vous désire. C'est l'amour de l'autre, le regard de l'autre qui font exister. D'ailleurs, si elle-même se dégoûte, les vieux ne la dégoûtent pas. Tout à l'heure, devant la télé, la main un peu enflée par le rhumatisme de M. Pomerel, tendrement posée sur celle, tavelée, de Mme de Brizambourg, ce spectacle-là ne l'a pas dégoûtée. Mais émue, au contraire. Elle a même trouvé ça très beau.

Pourquoi se refuse-t-elle pour son propre compte ce qu'elle admet chez autrui ? D'où lui vient cette sévérité ? Comme si elle voulait se punir d'avoir vieilli.

Comment se sentirait-elle si elle avait gardé le même corps que sa fille, insolent, intact ?

A la vérité, mal, comme si elle n'avait pas vécu.

Margot se penche par la fenêtre ; la lune est à son plein, le parfum des roses grimpantes monte jusqu'à elle. Les unes sont en bouton, les autres épanouies, quelques-unes s'effeuillent dans un bruit étouffé de pétales qui se détachent et tombent à terre...

Tout est bien.

CHAPITRE XXVI

Au fur et à mesure qu'on se déplace vers l'ouest, le terrain s'aplanit tandis que la lumière, réfractée par l'océan proche, s'intensifie, irradie. La fameuse lumière rose et or dont s'enorgueillit la Saintonge.

Vers Marennes commence le marais poitevin, la campagne se réduit à des pâturages ponctués çà et là de clochers pointus, Saint-Just, Hiers, Moëze, que quadrille et veine un réseau de canaux. C'est la mer qui s'infiltre jusque-là et son eau, soumise aux marées, aux tempêtes, clapote à vagues brusques, léchant sur les berges une végétation acclimatée au sel, solide et rêche. Les mouettes, nombreuses, criardes, volent en masse, attirées par le travail des ostréiculteurs.

Ici, c'est le royaume de l'huître. Elle se manifeste par de petits tumulus constitués d'amas de coquilles vides, celles jugées impropres à la consommation et laissées sur place. Les autres, quotidiennement emballées dans de souples cageots de peuplier, partent par transport routier pour tous les bouts du monde.

L'huître est un privilège : n'est pas ostréiculteur qui veut. Il y faut la connaissance, souvent de père en fils, et le courage. Par gros temps, aller voir sur l'océan où en est le naissain — car c'est en mer que pousse l'huître, dont la croissance et l'affinage s'achèvent en bassin — n'est pas sans danger, ni à la portée des amateurs.

Margot, qui n'irait pas chercher ses coquillages ailleurs qu'ici, surtout en été, a, cette fois, emmené les filles. Sur la route de Rochefort, au-delà de Brouage, cité de Champlain où, depuis Marie Mancini, les fortifications en partie écroulées servent le soir de promenade et de tour de guet aux amoureux, la cabane de Jean-Paul et de Maryvonne est peu visible. Pourtant, des tonnes d'huîtres partent d'ici chaque année, depuis des décennies. Le couple — qui fit aussi partie, il n'y a pas si longtemps, des amoureux des remparts — se partage la tâche, comme souvent chez les artisans. Jean-Paul va sur la mer, ramène les casiers ; Maryvonne trie, compte — treize à la douzaine, plus de cent aux cents, surtout quand il s'agit d'amis — et tient la comptabilité.

La force de la mer séjourne en permanence entre ces quatre murs ouverts à tous vents où une fine pellicule d'eau garde au frais le sol cimenté.

Les trois petites filles, auxquelles Margot a enjoint d'enfiler leurs bottes de caoutchouc, restent figées à l'entrée.

— Des cailloux ! s'exclame Amyette en s'approchant, mains derrière le dos, des monceaux d'huîtres déversées sur les tables.

— Je crois que c'est des bêtes, dit Mélissa.

— Mais non, fait Amyette, elles ont pas d'œil !

— C'est vous les bêtes ! dit Élise qui a accompagné Margot au marché. Elles, c'est des huîtres !

— C'est pas comme ça, les huîtres, dit Mélissa, c'est vert.

Elles chuchotent, mais Maryvonne, qui les a entendues, après avoir embrassé Margot, s'approche d'elles en riant :

— La bête est dedans, vous voulez la voir ?

— Oh oui ! dit Mélissa.

Les aînées se taisent, légèrement apeurées. Il faut dire que les grosses coquilles de ces huîtres sauvages, bosselées par les dépôts, sont inquiétantes.

— Ouvres-en une, Jean-Paul, crie Maryvonne à son mari d'une voix dont l'énergie contraste avec la finesse de son visage.

Jean-Paul, un blond râblé, toujours rieur, au visage boucané par l'air marin, prend son couteau et, d'un geste preste et léger, sans plus d'effort que s'il décapitait un œuf à la coque, fait sauter le couvercle d'une huître énorme, une huître « à cuire », et la tend à Mélissa qui fait un bond en arrière. Tout le monde rit et, finalement, c'est Amyette qui avance la main pour saisir le bénitier à l'intérieur nacré et contempler la « chose », le mollusque laiteux, gris et vert, ourlé d'un minuscule liséré noir.

Les trois têtes se penchent comme sur l'un des « trésors » extirpés des coffres de M. Pomerel. Elles ont déjà vu des huîtres, mais servies à table ; là, dans l'odeur saumâtre, le vent, le désordre de la cabane où tout parle de travail, d'urgence, de vie, elles aussi sont grisées.

— Qui veut la manger ? demande Maryvonne, qui connaît les enfants.

Faire l'ogre, il n'y a pas de meilleure façon de sentir qu'on est le plus fort.

Mais les trois petites ont un mouvement de recul.

— Moi, dit Margot.

— Tenez, prenez le couteau.

Margot détache la partie visqueuse de la pointe du couteau qui a servi à l'ouvrir et, comme elle a vu faire à ses hôtes, s'en sert comme d'une fourchette, le pouce aidant, pour porter le mollusque à sa bouche.

Six paires d'yeux suivent ses gestes. Elle avale la grosse huître.

— C'est bon ? demande Mélissa.

— Délicieux, un goût de noisette !

— De noisette ?

— Eh oui, quand les huîtres sont vraiment fraîches, elles ont un goût de noisette.

Deux cageots de cent sont comptés dans la bonne humeur, Jean-Paul les cercle, les scelle et aide Margot à les enfourner dans le coffre de la voiture. Les petites se sont égaillées le long du canal, là où les bateaux à moteur attendent l'aller quotidien sur les champs d'huîtres. Pour ces « paysans de la mer », comme disait Hugo, l'océan est le pré où croissent leurs troupeaux. Travail dur, incessant, qui les garde en santé, en innocence, en générosité aussi. Margot aime rendre visite à ces gens, elle se sent plus forte, ensuite, réconciliée avec la vie.

C'est avec un goût salin dans la bouche, comme si elle avait absorbé une grande gorgée d'eau de mer, qu'elle reprend le volant. Au fond de la voiture, les trois petites jacassent, se défient :

— Moi, je pourrais en manger une montagne, si je voulais !

— T'es même pas capable d'en avaler une !

Mme Vauban les accueille dès l'entrée, il y a eu un appel de la poste : Caroline annonce par télégramme son arrivée pour le lendemain.

Les petites battent des mains et courent répéter la nouvelle à M. Pomerel qui la sait déjà et partage leur joie. Margot aussi se réjouit ; en même temps, elle appréhende ce que va lui révéler sa fille.

— C'est bien, dit Mme Vauban en la déchargeant des cageots d'huîtres, comme ça, on a une entrée ! Je n'ai plus qu'à penser à mon plat principal. Peut-être du canard. Ils ont eu du poisson, la dernière fois...

La dernière fois, c'était quand, déjà ? Ah oui, au début des vacances, lorsque les enfants sont passés en coup de vent pour déjeuner. Le couple, alors, était uni, mais Margot ne songeait qu'à se plaindre : ils n'étaient pas restés assez longtemps à son gré !

Maintenant, elle se moque bien du rituel familial, comme de ses sentiments à elle ; il n'y a plus que leur bonheur qui compte.

Le bonheur des enfants.

C'est lui dont elle ne peut pas se passer.

CHAPITRE XXVII

Il pleut comme il sait pleuvoir dans les régions océanes, une pluie fine, légère, incessante, qui donne l'impression de vivre au cœur même du nuage.

Personne ne s'en plaint ni ne s'en étonne, cette pluie-là est une sorte de dû, un baume après la canicule du plein été.

L'odeur de cuisson du canard a commencé de se répandre dans la maison et Margot va fermer la porte de la cuisine. Comme certains grands artistes, Mme Vauban aime travailler en public, toutes portes ouvertes, y compris celle donnant sur le jardin, avec les petites qui vont et viennent et Margot, assise à la table ronde, devant la jolie toile cirée fleurie, à boire un café et discuter avec elle des nouvelles du jour. Parfois intimes.

Aujourd'hui, Margot n'a rien à commenter, du moins pas encore, elle se mobilise contre les événements à venir, passant mentalement en revue toutes les éventualités. Caroline vient pour leur annoncer que c'est fait, le divorce est en train, et elle compte repartir aussitôt en emmenant les enfants... Caroline arrive avec son nouvel amant, pour le présenter à la famille ! Son futur mari, peut-être... Ou alors, comme il reste huit jours à courir sur la location de Salins, elle tient à en profiter et il n'y aura pas un mot de plus... Peut-être aussi s'est-elle engueulée avec Thierry et compte-t-elle se faire consoler ? Thierry, lui, court après et va débarquer derrière elle. Quelles affreuses scènes en perspective ! Comment en protéger les enfants, et aussi M. Pomerel qu'elle n'a pas mis au courant de l'évolution des événements ?

Le voici, justement, qui descend avec précaution l'escalier de ce beau bois un peu rouge — « du merisier », a dit le menuisier venu réparer une marche — et qui, dès qu'il l'aperçoit, l'interroge :

— Est-ce que ma cravate te plaît ?

Sous-entendu : « J'ai fait toilette en l'honneur de l'arrivée de ma petite-fille ! »

Pauvre cher homme, il s'agit de le protéger, lui aussi ! Tout pourrait être si simple, si heureux, pourquoi faut-il que les sentiments devient, soudain, dans une explosion de pulsions que nul n'essaie de maîtriser ? Comme si tout était permis !

Quelle mouche — ça n'est pas encore le démon de midi — a piqué Thierry, car c'est lui qui a commencé, à moins que Caroline n'ait tout inventé pour justifier sa propre conduite ?

Quoi qu'il en soit, Margot n'arrive pas à considérer les aventures adultérines de sa fille autrement que comme des égarements. Ce genre d'attitude ne va pas favoriser les confidences. Jusque-là, elle avait pourtant toute sa confiance — du moins le croyait-elle. Qui sait si Caroline n'avait pas une double vie, et cela, depuis longtemps ? Les parents, comme les maris, sont les derniers avertis.

— Eh bien quoi, dit M. Pomerel, tu ne m'écoutes pas ? Quelque chose te préoccupe ?

— Rien du tout, papa, c'est seulement que je dois mettre le couvert, on n'a pas encore installé les rallonges.

— Je peux t'aider, si tu veux...

Toujours prêt, malgré son âge, à offrir la force de son bras, comme il tient à porter les bagages des dames, qu'il faut lui reprendre de force ! Un homme, celui-là, un vrai...

Y en a-t-il donc de faux ? Margot a envie de pleurer soudain, tandis qu'elle tire sur la table ronde de la salle à manger, bras écartés, buste plié, pour l'ouvrir par le milieu. Ça n'est pas une mince affaire que d'introduire puis de fixer dans le vieux meuble les planches rectangulaires qui font rallonges.

Les enfants, privées de jardin par la pluie, montent et dégringolent les escaliers à grand fracas. Mme de Brizambourg apparaît à son tour, dans une robe de crêpe gris pâle si légère que M. Pomerel se fâche presque :

— Mais vous allez attraper froid, ma bonne amie, quelle idée de se vêtir si peu par un temps pareil !

— Enfin, Séverin, nous sommes encore en été, le mois d'août n'est pas fini.

— C'est le baromètre qu'il faut considérer, pas le calendrier, et je vous ai dit ce matin qu'il avait terriblement baissé. Si cela continue, nous allons droit à la tempête !

« Ça, c'est vrai », pense Margot en installant les assiettes ordinaires — ça n'est pas fête, aujourd'hui — et les verres incassables.

— Tu crois que Maman va nous apporter des cadeaux ? fait Mélissa, sa poupée sous un bras, son ours sur l'autre.

— Tu n'en as pas assez comme ça ? dit Margot avec un zeste d'irritation. Laissez votre maman tranquille, elle sera fatiguée.

— Pourquoi, elle sera fatiguée ?

— Eh bien, par le voyage !

On affirme qu'il faut dire la vérité aux enfants — pas toujours.

Non, la vérité n'est pas forcément bonne à dire,

songe Margot en se rendant vers le fond du jardin chercher des feuilles de laurier pour la sauce du canard, et la ciboulette que lui a réclamée Mme Vauban. La pluie glisse avec douceur sur les fleurs du bignonia et les corolles des roses. On dirait une caresse, ces sortes de douches brumisantes qu'on vous fait dans les instituts de beauté, entre autres soins corporels que Margot déteste. Elle n'aime pas être traitée comme un objet fragile, même si elle en est un, même si sa peau porte les traces des nombreux étés et hivers qu'elle a maintenant traversés ! Vécus... Oui, elle a vécu, et jusque-là très bien. Si, dans le passé, elle s'est plainte, elle a eu tort, c'est maintenant que commencent les vraies difficultés.

Tout à coup, elle entend une voix, celle de Caroline, venant de l'entrée !

Margot, qui est encore au jardin, reste saisie : il n'y a pas eu de coup de sonnette, comment se fait-il ? Un agacement la prend, quelque chose ne s'est pas produit dans l'ordre attendu qui, du coup, lui échappe.

— Maman, maman ! piaillent les trois voix aiguës.

— Mes amours, répond Caroline.

— Doucement, les enfants, dit une voix plus mâle.

C'est donc vrai, Caroline a eu le toupet d'amener un homme avec elle !

Margot se sent figée de l'intérieur, elle pose lentement le bouquet d'herbes aromatiques et les ciseaux sur la table de la cuisine, prend le temps de s'essuyer les mains, qu'elle a humides, et se dirige vers l'entrée, toujours sans se presser.

Entre ses yeux, elle sent se former la barre verticale qui signifie qu'elle est perturbée.

L'homme se retourne. Elle se trouve face à Pierre.

CHAPITRE XXVIII

Agglutinés de force par le groupe familial, Pierre et elle n'ont aucune chance de se retrouver seul à seul. A vrai dire, Margot ne le souhaite pas : depuis combien d'années son ex-mari n'est-il pas venu à Saintes ? Encore sous le choc, elle a besoin de se reprendre, de réfléchir à ce que peut signifier cette visite.

Avec ce qu'elle a tendance à considérer comme un malin plaisir, ni Caroline ni Pierre ne se sont donné la peine de lui fournir la moindre explication. Comme si la venue du père en compagnie de la fille était parfaitement normale et prévue.

Les autres se sont d'ailleurs comportés comme si c'était le cas. M. Pomerel s'est joyeusement exclamé en apercevant Caroline, soulagé de l'anxiété qu'il éprouve toujours lorsqu'il sait quelqu'un des siens sur la route.

— Te voilà, ma chère petite fille, je suis bien content que tu sois de retour !

Puis, ayant aperçu Pierre, il a continué sur le même ton, avec son aisance de vieux diplomate :

— Ah, vous êtes là aussi, mon cher ami, vous venez par un bien mauvais temps ! Enfin, tant pis, vous vous consolerez avec vos petites-filles, elles sont tout à fait charmantes. Mais je crois que je ne vous ai pas présenté à Mme de Brizambourg. Violette, voici mon gendre, enfin mon ex-gendre, le mari de Margot et le père de Caroline, je crois vous en avoir parlé.

— Mais bien sûr, dit Violette, froufroutante devant Pierre dont la stature toujours imposante, le cheveu gris resté abondant, la chaleureuse courtoisie continuent de faire effet sur les dames de tous âges.

Mélissa sur un bras, les deux autres suspendues à sa veste, c'est tout naturellement qu'il se rend à la cuisine saluer Mme Vauban, laquelle, la pommette un peu rouge, ne manifeste pas non plus la moindre surprise, juste du plaisir à faire sa connaissance.

— Bonjour, Monsieur, je suis contente de vous voir.

— Moi aussi, Mme Vauban, qu'est-ce que vous nous mijotez là ? Ça sent bon !

— Du canard à l'orange, vous aimez ?

— Vous n'avez pas oublié le laurier ?

— Pensez-vous ! Comme on dit par chez nous, le laurier c'est la couronne !

Ils la dépossèdent même du laurier... son laurier !

A table, où l'on passe rapidement, M. Pomerel n'aimant pas tarder sur ses habitudes, les effusions continuent. Pierre ne cesse de s'informer des uns et des autres, avec cette mémoire d'enfer qui a toujours été l'un de ses atouts.

M. Pomerel est aux anges. Il adore donner des informations, encore faut-il que ses interlocuteurs n'en sachent pas autant que lui ! Dans le cas présent, il a dix ans et plus à combler, et les « oh » et les « ah » de Pierre, à chaque nouvelle ou anecdote, sont du nanan pour le vieil homme.

Il y a longtemps qu'il n'a pas été à pareille fête, et Mme de Brizambourg s'en mêle pour rajouter à son contentement :

— Mais, Séverin, vous ne m'aviez jamais dit ça !

Elle ajoute :

— C'est curieux comme Séverin ne se déboutonne vraiment qu'avec les hommes !

Et, se penchant vers Pierre, assis à sa droite :

— Jamais il ne m'avait parlé de ces éleveurs de cognac, il faut que ce soit vous !

— C'est que nous avons des complicités sur le cognac, Séverin et moi, dit Pierre. Et sur bien d'autres choses encore, qui ne sont pas pour les dames !

Violette éclate de rire. Caroline ne semble rien écouter, elle couve des yeux ses trois filles qui, pour se rendre plus intéressantes, font des manières, réclament d'un plat, refusent l'autre.

Margot n'intervient pas, elle a brusquement le sentiment d'être en trop. Ces gens ont une intimité dont elle se sent exclue sans qu'elle comprenne pourquoi. Une grosse envie de pleurer la prend. Qu'est-ce qu'elle fait là ?

Elle a envie de quitter la table, comme lorsqu'on a huit ou dix ans et qu'on se sent tellement incompris, oublié, puis elle se dit que ce serait trop bête. Au nom de quoi ? Elle n'est pas fâchée avec Pierre, et s'il a pris la peine — ou le risque — de venir à l'improviste à Saintes avec Caroline, c'est qu'il doit y avoir une bonne raison, elle la saura tout à l'heure. Elle n'a qu'à attendre.

Elle se sert un grand verre de haut-boutet, qu'elle vide d'un coup, et c'est à ce moment qu'elle aperçoit le regard de Pierre fixé sur elle, perplexe, scrutateur. Interrogateur aussi, comme s'il se posait une question à son propos.

Cela la réconforte, elle n'est donc pas seulement la cinquième roue du carrosse, elle existe un peu pour cet homme !

Après déjeuner, café bu, les filles entraînent Caroline dans leur chambre pour lui montrer leurs derniers jouets, leurs dessins. M. Pomerel et Mme de

Brizambourg donnent des signes de lassitude, c'est l'heure de leur sieste, et comme le repas a été animé, ils risquent d'y plonger plus vite qu'à l'accoutumée.

La pluie, par bonheur, a cessé et Margot entraîne Pierre jusqu'au bout du jardin.

— Comme tout est tranquille, ici, quiet, c'est le mot... J'avais oublié ce bonheur de province.

Margot se retourne vers lui d'un bloc.

— Pourquoi es-tu venu ?

— Tu le regrettes ?

— La question n'est pas là, mais il doit bien y avoir une raison...

— Et si je te disais simplement que j'avais envie de te voir, comment le prendrais-tu ?

— Écoute, Pierre...

Une sorte de raz de marée l'envahit. On lui cache quelque chose, un problème grave du côté de Caroline, ou alors c'est Pierre qui ne va pas bien.

— Tu es malade ?

— Parce que j'ai eu envie de te voir ?

— Alors c'est Caroline...

— Mais non, tout le monde va bien. Très bien, même. Caroline n'a pas encore eu le temps de te le dire, mais Thierry arrive demain par TGV jusqu'à Poitiers où elle ira le chercher...

— Mais je croyais qu'ils divorçaient...

— C'est en train de s'arranger.

— Comment le sais-tu ?

— En roulant, nous avons eu le temps de parler, Caroline et moi.

— C'est à toi qu'elle fait ses confidences ?

— Pourquoi pas ? Je suis son père.

— Mais à moi, elle n'a rien dit !

— Elle n'a pas encore eu le temps, et puis elle savait que tu t'occupais des enfants, elle ne voulait pas te téléphoner devant les petites, ni devant ton père. Tu sais qu'il est toujours aussi mignon, ton père, et en pleine affaire amoureuse, si je comprends bien !

— Écoute, Pierre...

Soudain, le sol se dérobe sous ses pieds et Margot se laisse tomber sur le banc de bois encore un peu humide, mais ça lui est égal.

Elle n'a plus de jambes, elle ne peut plus avancer.

CHAPITRE XXIX

En fin de journée, ils vont tous ensemble se promener dans le beau jardin public, vieux de plus d'un demi-siècle, qui porte désormais le nom de son créateur, le jardin Fernand-Chapsal. Tandis que les enfants franchissent les pelouses — ici, elles ne sont pas interdites — pour se pencher sur les deux bassins peu profonds et, du bout d'une feuille de pawlonia, y taquiner les poissons rouges, Margot s'éloigne sous la charmille en compagnie de Caroline. A peine ont-elles fait quelques pas sous les arbres taillés en boule que Caroline prend la première la parole :

— Alors ?

— Alors quoi ?

— Ça te fait plaisir de revoir papa ?

— Écoute, Caroline, ça n'est pas la première fois que je revois ton père. C'est de toi, tu le sais, que je me préoccupe...

— Il était tellement seul à Paris, en plein mois d'août ! Je me suis dit qu'une petite virée dans le passé lui ferait du bien. Tu sais, il n'a pas hésité longtemps, il s'est décidé presque tout de suite. Pauvre chou ! Tu as vu comme il est resté bel homme !

On dirait qu'elle cherche à lui faire l'article et Margot sent monter l'irritation.

— Il ne s'agit pas de ton père, ni de moi, mais de ton couple à toi !

— Oui, et alors ? Que cherches-tu à savoir ?

— Mais je ne cherche rien, ma petite chérie, je me fais du souci, c'est tout ! Tu pars en me disant que tu vas rejoindre quelqu'un...

— Je t'ai dit ça, moi ?

— Il me semble, tu m'as dit : « Je l'aime » et tu as fait ta valise.

— J'aime beaucoup de gens, maman.

— Vraiment ! Belle mentalité ! Vous êtes vraiment d'une génération que je ne comprends pas. Quand on a trois enfants, bientôt trente ans...

Caroline se met à rire et Margot se tait un instant. Qu'est-ce qu'il lui prend ? Devient-elle moraliste ? Et au nom de quoi ?

— Tu prends des précautions, au moins ?

— Oui, maman, je te promets, je fais attention aux MST, au sida, aux grossesses non voulues, aux proxénètes... Ça va comme ça ?

Qu'est devenue leur intimité ? Écrasée sous la réalité des mots durs, cruels, indécents, d'aujourd'hui.

Au loin, assis sur un banc, elle aperçoit M. Pomerel et Mme de Brizambourg qui, leur canne en main, dans la beauté de la lumière enfin revenue, semblent poser pour un *poster* représentant le soir de la vie.

Ceux-là, ils ont vécu, longtemps marché, et maintenant ils se reposent. « Ils font mieux encore, se dit Margot, ils ont l'immense élégance de se tenir à l'écart. »

Ça n'est pas son père qui se permettrait de lui dire : « Où en es-tu de ta vie amoureuse ? Tu penses à utiliser des préservatifs ? » Il se contente d'écouter ce qu'elle veut bien lui confier, sans en demander davantage ni forcer le moins du monde la confidence. Margot se sent démunie, tout à coup, entre son père, bien à sa place dans sa génération, et Caroline, en plein dans la sienne.

A croire qu'elle-même n'est nulle part : il y a les vieux et il y a les jeunes. Entre eux, Margot n'existe pas, ou plus. On n'a plus besoin d'elle. Elle n'a pas encore atteint la sagesse, la sérénité de son père et de Mme de Brizambourg, engagés dans leur dernier combat pour accueillir comme il convient la vieillesse et la mort. Et elle n'a plus l'élan de Caroline, sa fille, toute à cette œuvre de vie que représente la procréation et la constitution d'un foyer.

Elle, Margot, n'a plus rien à faire.

Pierre non plus.

N'est-ce pas ce qu'a voulu dire Caroline quand elle a insisté sur la désoccupation de son père, tout seul en août à Paris ?

Mais que va-t-elle chercher là ? Tout le monde est seul à Paris en août ! Elle se laisse piéger par elle ne sait quelle nostalgie !

Le chien, qu'ils ont emmené et lâché en douce, court vers elles comme un chien de troupeau. Il voudrait qu'elles arrêtent de s'éloigner pour rejoindre le groupe. Les enfants ont cessé de jouer avec l'eau, les deux plus grandes s'emparent chacune d'une main de Pierre, Mélissa court devant en éclaireur, et toutes trois, tel un attelage, entraînent leur grand-père vers la vaste cage de fer où vit une biche en compagnie de quelques oiseaux. C'est pour les enfants, la distraction de ce parc : un animal à considérer de près, à interpeller.

— Tu viens, biche ? tu viens biche ? tu viens biche ? répète Mélissa comme une litanie, ses deux mains tendues à travers les barreaux.

« Sans la grille, se dit Margot, elle y serait déjà, les bras autour du cou de l'animal, s'il acceptait de se laisser faire. »

Ce besoin de corps à corps qu'ont les enfants qui n'en finissent pas de se séparer, se sevrer. Et elle, y est-elle parvenue ? Elle n'a pas cessé, cet été, de vivre la vie de Caroline, de se mettre à sa place, de lui prêter des sentiments qu'elle n'a peut-être pas...

Elles ont rejoint Pierre et les enfants. Le chien, assis sur son derrière, contemple lui aussi l'animal emprisonné, le bel œil rond, tendre, où l'on s'attend à voir sourdre une larme, comme dans les contes de fées.

— Est-ce la même qu'il y a dix ans ? demande Pierre d'un ton timide en se tournant vers elle.

Il a l'air d'un petit garçon, soudain, avide de retrouver ses souvenirs, espérant que rien n'a trop changé.

— Je pense que oui — dit Margot, se moquant de dire un mensonge, en tout cas de dépasser ses certitudes : combien de temps vit une biche ?

— N'y avait-il pas aussi un porc-épic, à l'époque ?

— Mais il est là, dans le fond de sa cabane ! crie Élise. Seulement, il ne sort jamais en plein jour, il dort. C'est le gardien qui me l'a dit. Il n'aime que la nuit...

— C'est qu'il veut pas des visites, précise Amyette.

— Il aime le pain ? demande Mélissa.

— Je ne crois pas, dit Pierre. Et qui aime les glaces ?

— Moi au chocolat !

— Moi à la fraise !

— Moi les deux !

Les désirs des enfants sont vifs et rapides comme des oiseaux, ils vont, ils viennent, précédant, entraînant ceux des adultes.

— Je vous invite tous à manger des glaces « à tout », là-bas, au café qui est près de l'arc de triomphe, dit Pierre.

A nouveau, il a jeté un coup d'œil anxieux vers Margot. L'établissement existe-t-il toujours ? Margot s'empresse de le rassurer :

— Il est ouvert, je l'ai vu quand on est passés tout

à l'heure, nous y serons très bien. Allez-y à pied, je vais prendre les « vieux » pour les y conduire en voiture, ce sera moins fatigant pour eux.

Ça y est, elle a trouvé : c'est à ça qu'elle sert, maintenant — à aider à s'accomplir les désirs d'autrui. Pas de n'importe quel autrui, ni n'importe quels désirs. Mais quand elle peut le faire, comme là, Margot se sent souverainement à sa place.

Au fond, n'est-ce pas grâce à elle que ce bonheur d'aujourd'hui — car c'en est un ! — peut exister, s'épanouir ?

Même si personne n'y songe en dehors d'elle.

« Gardienne du bonheur, est-ce un titre ou une fonction ? » se demande Margot. Elle aide Violette et Séverin à s'installer dans la grosse berline, tandis que Pierre, Caroline et les enfants s'égaillent parmi les vieilles pierres du musée archéologique, en direction de la terrasse du Café du Centre que baigne, reflétée par la Charente, la divine lueur rose du soleil couchant.

CHAPITRE XXX

A la grande joie des enfants, c'est plus une dînette qu'un dîner. Margot et Caroline ont disposé sur la table tous les restes trouvés dans le frigidaire, autour d'un grand plat de pâtes pour les affamés.

— Je veux mes nouilles avec plein de fromage !

— Moi je préfère la sauce tomate avec des petits bouts de viande...

— Il y a de tout, dit Margot. Vite, à table !

Lorsqu'elle apporte le plat fumant en prévenant : « Attention, ça brûle, faites-moi de la place ! », elle a le sentiment de vivre l'un de ces moments qu'on connaît dans tous les foyers, qui sont la banalité même et, simultanément, vous gonflent le cœur. Ce n'est pas le plat qui est chaud, c'est la vie en commun !

Chacun s'est installé à sa guise autour de la grande table ronde que ses rallonges rendent ovale, et Margot, assise la dernière, s'aperçoit qu'ils lui ont ménagé une place juste à côté de Pierre. Hasard ou préméditation ?

La conversation est générale, à tue-tête du côté des enfants. Des fous rires se déclenchent sans raison : parce que Caroline a fait tomber des spaghettis sur la table en servant M. Pomerel, parce que

Margot a versé du vin à Mélissa en croyant remplir le verre de Pierre, parce que...

« Parce qu'ils sont heureux ! se dit Margot. Pourquoi le sont-ils aujourd'hui alors qu'ils avaient si peu l'air de l'être quand ils sont passés au début des vacances ? »

La raison pour laquelle une famille se met tout à coup à revivre relève du mystère, d'une grâce... qui vient, qui passe. « Peut-être parce qu'ils ont eu peur... », pense Margot. En réalité, qui d'autre qu'elle a tremblé, craint l'éclatement ?

Et qui lui dit que celui-ci n'aura pas lieu ? Demain, après-demain ?

Car il manque quelqu'un à cette réunion : Thierry.

C'est Caroline qui le fait remarquer la première, avec cette finesse qui est la sienne et qu'admire Margot. Où sa fille a-t-elle pris sa délicatesse psychologique ? Elle-même se sent plutôt de la race des bulldozers : ça passe ou ça casse...

— Qui vient avec moi demain chercher papa à la gare ?

Les trois petites filles hurlent « moi, moi » en même temps et quittent leur siège pour se précipiter vers leur mère, comme si l'une ou l'autre craignait d'être exclue.

— Toutes les trois ensemble ? Très bien, votre papa sera heureux !

Oui, Thierry sera sûrement très heureux de voir ses trois petites filles sur le quai, dès sa descente du train, mais Caroline n'aurait-elle pas mieux fait d'y aller seule pour s'expliquer avec lui en tête à tête ?

Margot redoute toujours la même chose : les scènes devant les enfants. Une ou deux fois, elle s'était disputée avec Pierre devant Caroline, et la pâleur subite de l'enfant lui avait fait comprendre, trop tard, qu'elle en resterait marquée.

A propos de quoi se chamaillaient-ils ? Margot ne sait plus bien, mais il devait en ressortir qu'ils ne s'aimaient plus. C'est la seule chose que les enfants ne supportent pas, le manque d'amour. Que leurs parents se séparent, s'ils préfèrent, mais qu'ils continuent à s'aimer... Après le divorce, Caroline la sondait en douce pour savoir où elle en était avec Pierre sur ce plan-là.

Et lorsqu'elle sortait avec lui, elle ne manquait pas de rapporter ensuite à Margot un compliment que Pierre était supposé avoir fait sur la façon de s'habiller de sa mère, ses capacités de travail. Ou même l'évocation d'un bon moment de leur vie commune, dont il s'était souvenu en emmenant Caroline là où ils étaient allés autrefois ensemble, à Fontainebleau, à Chantilly.

Au retour d'un après-midi ou d'un week-end passé avec Pierre, Caroline lui répétait ses paroles d'un air détaché, comme si elles étaient sans réelle importance. Mais Margot percevait que c'était un cadeau que l'enfant avait le sentiment de lui faire, plus précieux que le bibelot ou le souvenir qu'elle ne manquait pas de lui ramener.

Petite Caroline, si douloureuse ! Pense-t-elle à son tour à la peine qu'auraient ses enfants si Thierry et elle cessaient d'être unis ?

« On ne fait pas exprès de ne pas s'entendre, se dit Margot en reprenant les plats vides pour aller les poser à la cuisine. Quand la cohabitation est devenue impossible, enfants ou pas, il n'y a rien à faire. Continuer à vivre, à dormir, et même à parler à quelqu'un qu'on ne supporte plus, est monstrueux ! La pire des tricheries ! »

A l'époque, rien que la vue de Pierre, ou même sa voix au téléphone, la mettaient hors d'elle ! Comme si cet homme la niait jusqu'à l'empêcher de penser, de respirer...

On peut donc en arriver là ? Et l'oublier ? Pierre la regarde avec attention chaque fois qu'elle quitte la table, puis il lui tire sa chaise quand elle revient s'asseoir. Il a même posé sa main sur la sienne, tout à l'heure, pour l'enjoindre d'écouter ce qu'il avait à dire à tout le monde, et c'était une gentillesse à son égard :

— Félicitons Margot d'avoir réussi à nous préparer un festin en si peu de temps !

Tout le monde a battu des mains.

— C'est grâce à vous que ce repas est une fête, a dit Margot.

Et c'était vrai.

Quand il s'est agi d'aller se coucher, ça a été le branle-bas. Soupçonnant qu'il y avait de l'insolite dans l'air, les petites criaient, se disputaient, voulaient aider à faire les lits, en réalité sautaient à pieds joints sur les matelas en compagnie du chien qui, tout excité, s'enroulait dans les couvertures !

En fait, elles cherchaient à savoir qui couchait avec qui ! Est-ce que Mme de Brizambourg couchait avec leur arrière-grand-père ? Et Mamie, allait-elle partager son lit avec leur Papie ?

— Moi, je couche dans le lit de maman, dit Mélissa, dans l'espoir sournois d'inciter les autres à se dévoiler.

— Et moi avec Élise, reprend Amyette.

Il est vrai que la maison est surchargée, pour une fois, et Margot, aidée de Caroline, installe à la hâte un lit pour Pierre dans la pièce au fond du jardin. Ainsi, il est avec eux, mais séparé.

— Je peux aller à l'hôtel, a-t-il proposé sans conviction.

— Papa, il n'en est pas question, a répliqué Caroline. La famille reste ensemble.

Margot a savouré le mot. Oui, la famille reste ensemble, par-delà les deuils, les drames, les séparations. Une fois que c'est commencé, une famille, c'est comme une lumière qui va continuer de diffuser, toujours.

CHAPITRE XXXI

Le lendemain, tout se fait très vite. Le TGV s'arrêtant à Poitiers vers dix heures quarante, Caroline et les enfants sont parties une heure à l'avance. A leur retour en compagnie de Thierry, ils ont déclaré qu'ils ne comptaient pas rester déjeuner — le beau temps était revenu —, ils voulaient tout de suite regagner Salins, profiter de leurs derniers jours de mer et de vacances.

Il n'y avait rien à répliquer. Pendant le rassemblement des bagages, les adieux aux uns et aux autres, Margot ne s'est pas trouvée seule un instant avec Caroline et n'a pas pu lui parler. Pour lui dire quoi ? En apparence, tout semblait rentré dans l'ordre. Thierry était bien un peu las, comme un Parisien qui débarque, mais pas spécialement tendu. Il a embrassé sa belle-mère avec affection, sans un zeste de complicité ni de sous-entendu, comme si leur déjeuner en tête à tête à Bordeaux n'avait jamais eu lieu.

Le couple s'était refermé sur ses intentions, quelles qu'elles fussent. Sur ce point-là, ils faisaient front, c'était manifeste.

Margot a regardé démarrer la voiture avec mélancolie, mais sans inquiétude, ce qui pour elle était nouveau. Elle avait commencé à se dire que chacun a droit à son destin, avec ses difficultés, ses obstacles, parfois ses drames ; sinon, ça n'est pas vivre. Tout ce qu'elle pouvait faire pour les siens, c'était les accueillir quand ils venaient chercher refuge auprès d'elle, comme Caroline cet été, et même Thierry, leur manifester qu'elle était toujours disponible pour les écouter, s'ils avaient envie de parler, prête à leur tenir compagnie quand ils redoutaient la solitude, mais sans plus.

Elle ne pouvait pas penser, décider, agir à leur place. Les enfermer, comme elle l'aurait souhaité, dans un cercle protecteur, une sorte de fortification épaisse, telle celle qui ceignait encore Brouage, ou ce qu'il restait des anciens remparts de Saintes. Elle n'avait pas à les défendre ; chacun doit se défendre lui-même, sinon il s'affaiblit.

Elle s'était avancée assez loin sur les vieux et splendides pavés de pierre qui ornaient la rue, et quand elle se retourna vers la maison, elle vit d'abord Pierre, juste derrière elle, puis M. Pomerel et Mme de Brizambourg, agitant la main sur le seuil. Chacun d'eux allait rentrer dans sa vie, ses préoccupations. Le moment de bonheur en commun était passé. Mais Margot n'en éprouva pas de tristesse, elle avait besoin de se reprendre, se rassembler ; les autres aussi, sans doute.

Pendant que Caroline était à Poitiers, Pierre avait proposé de l'accompagner au marché qui se tenait ce matin-là place Saint-Pierre, et elle avait accepté.

Des années auparavant, leurs paniers au bras et en suivant les directives de M. Pomerel, ils avaient découvert ensemble le charme de cette vente de fruits et légumes en plein air, sous des toiles hâtivement montées contre le soleil ou la pluie. La plupart de ces gens venaient de la campagne environnante et vendaient les produits qu'ils avaient cueillis ou ramassés le matin même, dans leurs jardins et sur leurs terres. Une santé joyeuse se dégageait de ce rassemblement de fruits, de fleurs, de petits animaux vivants, d'œufs dans des corbeilles garnies de foin, de toutes les espèces de légumes et de salades. Rien n'était cher : directement du producteur au consommateur ! Et tous les marchands faisaient bon poids, que ce soit à la balance ou en y ajoutant le sourire, l'amabilité, le mot réconfortant.

Pierre et Margot étaient revenus enchantés du marché, et leur enthousiasme avait fait sourire M. Pomerel : « Nous sommes une bien petite ville ! Ici les gens sont encore satisfaits, ils vivent à leur guise... »

Connaissant désormais chaque commerçant, sachant ce dont elle a besoin, Margot, aujourd'hui, va plus vite ; elle évite les étals trop achalandés, va vers les plus petits où on la sert aussitôt, demande l'échalote, la tête d'ail, les pommes de terre rhétaises, se voit offrir le persil en prime, et parmi un étalage de pommes choisit celles du cru, les « clochardes », un peu grises et savoureuses.

Dans son dos, Pierre ne dit rien, il observe. C'est seulement sur le chemin du retour qu'il prend la parole.

— Presque rien n'a changé. Comment ont fait ces gens pour garder leur entrain, leur courage aussi ?

— Ils ne se rendent même pas compte qu'ils sont à contre-courant...

Il baissa la voix, comme s'il se parlait à lui-même :

— Toi aussi, tu es restée la même.

— Dans ta bouche, ça n'est pas un compliment ! Tu me trouvais insupportable, souviens-toi ! Au début, tu disais « trop personnelle », puis tu as fini par déclarer que j'étais égoïste et ne pensais qu'à moi, ce qui était probablement vrai.

— Je l'étais aussi. J'avais envie d'autre chose, je ne sais pas pourquoi, d'aventure, de vivre...

— Et je t'empêchais de vivre ?

— Réciproque, non ?

Margot se tait. Elle y a souvent réfléchi en se demandant si leur divorce était évitable. Quelle sagesse il leur aurait fallu pour se laisser mutuellement la liberté d'aller parfois voir ailleurs, de succomber à d'autres désirs, de faire en sorte que l'autre se sente libre, sans en venir pour autant à la séparation...

C'était probablement impossible. D'abord parce qu'ils étaient jaloux. Pierre jusqu'à la violence, et elle aussi. A trente ans, on ne peut pas fermer les yeux, on est trop absolu, trop fougueux. Le pourrait-elle aujourd'hui ?

Ils déposent en même temps paniers et gerbes de fleurs sur la table de la cuisine et Mme Vauban, comme s'il s'agissait de présents qu'ils lui rapportaient, se précipite pour déballer.

— Qu'est-ce que je fais pour déjeuner ?

— Les langoustines et les soles, avec des pommes de terre à l'eau, ça suffira.

— A quelle heure est le prochain train pour Paris ? demande Pierre.

— Je ne sais plus, tout est changé depuis le TGV. Viens, on va aller consulter le Minitel.

Margot a garni le vase bleu de roses pâles, toutes fraîches, bien épineuses, et elle le dépose sur le coin du bureau de M. Pomerel, là où il aime avoir des fleurs et où les femmes de la maison s'arrangent entre elles pour les renouveler.

— Qu'elles sont belles ! dit-il en risquant un œil sur eux, et Margot comprend que son père se demande ce qui est en cours, qui va rester, qui s'en va, sur qui il va pouvoir compter dans les jours, les heures qui viennent. Mais il ne posera pas la question, il sait vivre. « Il faut que j'apprenne à en faire autant », se dit Margot en se dirigeant vers le téléphone.

A peine a-t-elle eu sa réponse — le prochain train pour Paris est à douze heures cinquante — que Caroline et Thierry reviennent de Poitiers.

Après, tout s'accélère. La maison entière ressemble à une gare dans ces moments de coupure, toujours difficiles, où l'on se hâte malgré soi pour en avoir plus vite fini avec la séparation.

Les enfants partis, ils ont déjeuné tous les quatre d'un trop gros plat de langoustines ; à peine le café avalé, Margot a déclaré à Pierre qu'il était temps qu'elle le conduise à la gare. Il n'avait qu'un léger bagage, une sorte d'attaché-case déjà dans l'entrée, et tout s'est fait avec simplicité, sans un mot ou presque.

Pierre n'a pas voulu qu'elle range la voiture : « Ne descends pas, je sais prendre un train tout seul... » — et il lui a donné, par la portière, un léger baiser sur les lèvres.

Oui, son départ, comme sa présence, avait été léger, très léger, un peu trop peut-être. Une fois de retour dans la vieille maison, Margot a ressenti qu'elle n'avait plus rien à faire. Absolument rien.

C'est Mme de Brizambourg qui a eu le dernier mot. Elle sommeillait dans son fauteuil et l'entrée de Margot dans la pièce l'a fait sursauter.

— Vous attendez les enfants ? a-t-elle dit dans un état de semi-conscience en voyant Margot se laisser tomber sur la chaise, face au bureau de son père.

— Non, a dit Margot en riant. Les enfants sont arrivés. Et même depuis un bon moment !

CHAPITRE XXXII

Cet après-midi, Mme de Brizambourg et M. Pomerel sont allés visiter des amis, à Port-d'Envaux, lesquels ont eu la bonté de les envoyer quérir en voiture. Le temps est doux et ils comptent rester jusqu'au soir, assis sur cette belle terrasse sablée, continuée par une pelouse en pente que terminent des balustres de pierre ornées de lions, à deviser sous les arbres et contempler le cours doux et paisible de la Charente, ici fréquentée par des baigneurs.

Ils reviennent toujours enchantés de ces raouts où M. Pomerel retrouve de vieux amis de la région autour d'un bridge, d'une tasse de thé, d'un verre de pineau, surtout d'une conversation heureuse. Les événements passés y sont évoqués avec gaieté, sans acrimonie à l'égard du temps qui passe, abîme et détruit tant de choses, comme sans amertume à l'égard du présent, bien que, dans l'ensemble, il ne leur apporte désormais que des maux.

C'est que ces gens de bonne compagnie savent apprécier pleinement ce qui leur reste, sans en omettre les bons souvenirs. M. Pomerel, en particulier, a le don de mettre en joie ses interlocuteurs par la verve bon enfant avec laquelle il dépeint des événements de la vie des uns et des autres, qu'il a la délicatesse de ne pas oublier, ranime des petits faits du passé et narre l'histoire locale. Personne n'a autant à l'esprit un bon mot, une anecdote, un rappel des coutumes d'antan, à propos de tout ce qui se dit. Il le fait revivre avec enjouement et gentillesse, sachant relier le présent à ce passé que chacun a dans le cœur et n'ose pas toujours évoquer, de crainte d'avoir mal. Mais quand M. Pomerel, tout sourire, jette à une grosse personne qui fut la fleur de la société il y a des décennies et n'en garde guère la trace :

— Dites donc, ma bonne amie, on ne vous retenait pas à l'époque ! Vous vous souvenez du jour où vous avez versé en barque avec Vermeuil ? Vous ne vouliez plus sortir de l'eau parce qu'une fois mouillée, votre robe blanche était transparente, et on était tous sur le bord à guetter le spectacle !

Il n'a oublié ni un incident, qu'il sait immanquablement rendre comique, ni une réception dont il se rappelle les invités, le temps, le menu. En somme, le plaisir.

« Mon père est un homme de plaisir », se dit Margot en allant et venant dans la maison vide.

Il y a longtemps qu'elle ne s'est pas retrouvée seule ici et elle en éprouve de la jouissance. Les fenêtres, les portes sur le jardin, tout est ouvert et la vieille demeure semble respirer, battant comme un cœur de toutes ses horloges. Une par pièce et trois dans les couloirs sonnent les heures avec conscience, mais pas toutes en même temps. D'où un multiple carillon, repris à tous les étages et qui dure plusieurs minutes, répété à l'heure, à la demi, de nuit comme de jour !

Margot, pieds nus, est montée jusqu'au grenier. Elle aime ce vaste espace divisé en trois parties, qui fait toute la maison, où le toit, par endroits, descend si bas qu'il faut se plier en deux pour atteindre ses derniers recoins.

Elle n'a pas fini d'en explorer les trésors, amassés dans des malles, des cartons, dissimulés sous de vieux emballages, dans une poussière recuite. C'est là, en particulier, qu'elle a retrouvé les restes d'antiques tentures damassées, rouge sombre, frangées de glands dorés, qui ornaient les fenêtres du bas il y a deux générations. Des échantillons conservés de l'ancienne tapisserie lui ont confirmé à quel point, au début du siècle, on appréciait les couleurs éteintes, marron, prune, kaki, sur lesquelles se détachaient les meubles de bois foncés, impeccablement cirés. Seule note un peu claire, celle de l'argenterie. Les tapis, eux aussi, offraient des teintes obscures, comme les toilettes des femmes dont beaucoup, après un deuil, continuaient de se vêtir en noir jusqu'à leur mort.

Était-ce le reflet d'un état d'esprit ? Margot avait fini par se dire que c'était probablement le désir de se montrer sérieux, adulte, pondéré, sage aussi, dans une société où le clair était réservé aux enfants.

Aujourd'hui, la jeunesse prime, et, avec leur courte chevelure teinte en blond, leurs robes aux couleurs à la mode, vert, orangé, fluo, les femmes n'ont plus d'autre image ni d'autre âge que ceux de la jeune génération !

Ce refus têtu de vieillir les conserve-t-il plus fraîches au-dedans que ne l'étaient leurs grand-mères ? Margot se penche sur les photos jaunies dont débordent des cartons qu'elle projette de descendre du grenier pour les classer. Vastes personnes corsetées, les jupes à la cheville, mais le regard clair et le sourire si lumineux. De vieilles petites filles dans leur candeur d'un autre temps !

Elle aurait aimé les connaître, surtout celle-là qu'elle a appris à identifier comme son arrière-grand-mère, tenant dans ses bras avec un air de bonheur incomparable, une fierté immodérée, son premier-né, un fils. Elle a l'air d'une enfant, cette mince jeune femme, et Margot aurait aimé la protéger contre tout ce qui allait lui arriver par la suite, les déceptions, les deuils, les maladies.

« J'aurais voulu être là », se dit-elle en redescendant l'escalier.

Les doigts sur la rampe si douce au toucher, elle pense soudain — et c'est un choc — que la main de cette femme, comme la sienne aujourd'hui, a contribué au polissage de ce vieux bois. Oui, elles ont toutes deux descendu ces marches, à deux générations d'écart, du même geste, avec peut-être des pensées identiques.

Le sentiment est si fort que Margot s'arrête net sur le palier : elle perçoit une présence, celle de son arrière-grand-mère dont elle vient, une fois de plus, de contempler le visage illuminé par la maternité, puis celui d'autres gens qui ont vécu là depuis presque deux cents ans, et qui, lui semble-t-il, lui parlent.

L'encouragent, la chérissent. La soutiennent pour qu'elle les continue. Parce qu'elle est leur sang, tout ce qui reste d'elles de vivant ; parce qu'elles ont besoin de Margot pour que leur existence n'ait pas été vaine. Ait servi. Serve.

« Mes chéris, murmure Margot aux ombres, ne vous en faites pas. Je suis là ! »

Devient-elle folle ? Par cette splendide journée d'été, percevoir ces fantômes, ou plutôt les avoir fait surgir, dans cette vieille maison où la lumière ne pénètre que difficilement, n'est-ce pas une forme de folie douce ? Que penserait M. Pomerel si elle le lui racontait ?

Margot hausse les épaules, peu lui importe l'opinion des uns et des autres ; elle a, pour son compte, besoin d'être reliée aux invisibles. A ceux du passé comme à ceux du présent, qui en ce moment même sont tous loin d'elle. C'est une chaîne dont elle est l'un des maillons. C'est cela aussi, l'amour : accepter ce rôle de transmission. Un beau rôle qui apporte la sérénité.

Elle a accompli une partie de sa tâche en mettant Caroline au monde, dont sont nées les petites filles. Mais cela ne suffit pas, il n'y a pas que la vie biologique à transmettre, il y a aussi la façon de vivre.

Tous ceux qui l'ont précédée dans cette maison, ailleurs, bien au-delà de la mémoire, ont été, chacun à sa façon, formidables. Ils ont su vivre, faire vivre, affiner les mœurs, la culture, donner du sens aux choses, à l'existence.

Elle en a pour preuve les objets, les meubles, pour la plupart beaux, bien choisis dans leur simplicité, qui ornent la vieille maison. Mais il y a également tout ce qui constitue son propre esprit et qu'elle tient parfois pour rien. Comme si cela s'était installé tout seul, comme si elle était née avec, comme on naît avec des bras et des jambes.

Soudain, Margot prend conscience que ses pensées aussi, pour beaucoup, sont l'œuvre de ceux qui l'ont précédée. Elle ne serait pas ce qu'elle est sans ces gens qui ont aimé et souffert avant elle. L'amour avec lequel son arrière-grand-mère tient son fils sur le bras, sans trop oser l'exprimer par des mots, se perçoit sur la photo ; c'est ce qui a mis en elle aujourd'hui la possibilité d'aimer du mieux qu'elle peut, même si cela n'est pas parfait, Caroline et les enfants.

Et pas seulement Caroline — son père, Violette, la plupart de ceux qui l'entourent. Pierre aussi.

« Oui, se dit Margot, j'ai aimé Pierre, je l'aime encore. Il participe de moi. Et moi je suis leur œuvre à eux tous. Morts et vivants. »

Des larmes coulent sur son visage, des larmes douces, d'acceptation. Il y a une partie du destin que l'on construit, mais l'autre est imposée, et ce qu'il y a de mieux à faire, la sagesse, c'est de l'accepter. Seule façon d'atteindre au bonheur, ce bonheur qu'elle aime tant.

Toujours pieds nus, elle se rend au jardin, vers les plantes, les fleurs en plein épanouissement depuis le retour d'une température plus clémente. La très vieille vigne, le gros cupressus ont dû connaître ces gens qu'elle évoquait, ou plutôt qui se sont manifestés à elle il y a un instant avec tant de force, d'une façon si indéniable.

Elle n'en parlera pas, mais elle en est sûre, c'est un secret entre elle et eux, qu'elle va conserver dans son cœur. Qui la nourrit, l'apaise.

Margot s'assoit sur le banc de bois, près du mince figuier qu'elle a elle-même planté l'année dernière. Dans une ou deux générations, l'arbre, devenu vieux, parlera d'elle sans qu'ils le sachent à ceux qui viendront goûter son ombre. Qui seront, elle le souhaite, plus évolués qu'elle aujourd'hui. Plus sages, plus patients en amour. Ses descendants, si la maison demeure dans la famille ; ou alors d'autres.

Elle espère seulement que le jardin sera longtemps un jardin — pour le reste, à Dieu vat ! Margot a posé sa tête sur le dossier du banc et, comme il arrive à M. Pomerel et à Mme de Brizambourg, à cet endroit même, après le déjeuner, elle s'endort.

CHAPITRE XXXIII

Un matin, une légère brume au moment du lever du soleil manifeste que l'automne est en chemin. C'est un presque rien, accompagné d'un doigt de rosée, et, sauf les lève-tôt, personne ne se doute du changement. L'été continuerait, imperturbé, s'il n'y avait les dates, fin des locations, retour au travail, bientôt l'école.

Margot songe à cet écoulement inexorable du temps qui transforme en aventure n'importe quelle existence, rendant tout passager : l'enfant, la maturité, la joie, la souffrance... Rien ne dure, on ne fait qu'assister, impuissant, au déroulement du « film », drame ou comédie.

Elle sait que des échéances plus ou moins douloureuses se préparent et l'attendent, comme elles attendent tout un chacun, même si elle ne veut pas se les formuler, même si elle a envie, en ce moment précis, que cet été-là ne se termine jamais.

Qu'il reste comme il est en ce matin du 31 août, en équilibre sur sa tranche, comme pétrifié dans son mouvement, et qu'on n'entre jamais en septembre.

Elle-même tente de s'immobiliser, sa tasse de café à la main, sur le seuil du jardin que n'agite aucun souffle, retenant sa respiration.

Une porte vivement ouverte dans son dos la fait

sursauter ; c'est Mme Vauban qui prend son service dans un grand remue-ménage d'activités rituelles, volets à ouvrir, vaisselle à mettre en train, aspirateur, menus à planifier, marché...

La journée, cette fois, est en route et Margot sait que rien ne l'arrêtera ; le mieux est de s'abandonner à son courant, en en profitant, si possible, pour avancer ce qui doit l'être.

Mme Vauban se révèle là-dessus intraitable.

— Avez-vous pensé à appeler le plombier pour mon robinet d'évier qui coule sans arrêt ? Et le jardinier, il revient quand faire le gazon ? A propos, si vous sortez, je n'ai plus de papier-torchon ni de lessive pour les sols. Il faut aussi acheter du thé en sachets pour Monsieur, et des biscottes sans sel pour Madame. Qu'est-ce que je fais de ces fruits qui s'abîment, une compote ?

— Pourquoi pas une tarte ?

— Si vous voulez, mais je crois que je vais manquer de farine...

— J'y vais, Madame Vauban, je prends la voiture et je fais un saut chez Leclerc.

Margot a aimé, autrefois, ces expéditions « fournitures et ravitaillement ». Poussant son caddy, elle avait le sentiment d'entretenir la chaudière d'un petit navire qui partait pour un long voyage... Une semaine, en fait.

C'était un bonheur de penser à tout et à chacun en se hâtant le long des étalages. D'abord le prévu, le « noté » sur la liste de Mme Vauban, puis, soudain, l'imprévu, le gadget amusant ou la bonne affaire, un champagne de première qualité pour pas cher, un chandail, des chaussettes fin de série, un foulard d'un ton insolite qui fera plaisir, signe d'une attention, d'une pensée. Ces initiatives mettent un peu de fantaisie dans l'activité mécanisée de la ménagère.

Mais, aujourd'hui, Margot est lasse, sans entrain :

en accumulant dans son chariot tout ce qui est nécessaire, elle a seulement le sentiment de se répéter. Encore de la lessive, encore du papier-toilette, encore de l'eau minérale, encore des yaourts, encore du fromage blanc, encore des carottes, encore des navets, encore des oranges... Le chargement transféré à la va-vite dans son coffre de voiture, elle se dit que son abattement vient de ce qu'elle n'attend plus rien.

Les enfants, elle le sait, quittent aujourd'hui Salins pour retourner à Paris. Elle-même va bientôt regagner la ville, laissant M. Pomerel à une solitude qu'il redoute. Il n'y a plus de « fête » en perspective, on ferme ; l'été, encore resplendissant, va bientôt jouer devant une salle vide.

C'est lentement qu'elle retraverse le fleuve en direction de la maison où Mme Vauban, toujours d'attaque pour ce qui la concerne, attend sa farine.

Au moment où elle tourne sur le quai, un coup de klaxon la fait sursauter, puis l'agace : elle n'a gêné personne, enfreint aucun règlement ! Un coup d'œil dans le rétroviseur lui apprend qu'elle est talonnée par une Espace bien impatiente...

Mais c'est celle des enfants !

Son sang ne fait qu'un tour : pas possible ! Elle ne les attendait pas, ils n'avaient rien dit ! Elle s'arrête sur le parking Saint-Pierre, abaisse sa vitre, déjà Caroline est là :

— On rentre à Paris, et au moment de prendre l'autoroute, on s'est dit qu'on avait le temps de venir vous embrasser...

— Quelle bonne surprise ! C'est votre grand-père qui va être heureux...

— Pas toi ?

— Tu sais bien que si !

Tous les cinq ont une mine splendide, dorés par le soleil, durcis par la natation, la planche à voile, et quand ils pénètrent avec elle dans la maison, c'est comme un grand souffle de vie et de gaieté !

Mme Vauban, accourue, demande aussitôt s'ils ont déjeuné.

— Non, dit Thierry, on n'a pas le temps, mais je prendrais volontiers une petite tasse de café !

— Vous savez quoi ? dit Margot. On va organiser un *brunch*...

— Qu'est-ce que c'est, un bronche ? demande Élise.

— Un *breakfast/lunch* : un petit déjeuner qui sert de déjeuner !

— Mais on l'a déjà eu, notre petit déjeuner...

— Vous n'avez pas encore un petit peu faim pour de la galette charentaise ? Comme ça, vous n'aurez pas à vous arrêter en route pour grignoter... Votre papa pourra conduire d'une seule traite !

— Et où est grand-père ?

— Allez lui dire que vous êtes là, il doit terminer sa toilette !

Les enfants montent quatre à quatre les escaliers et, quelques secondes plus tard, Margot perçoit les exclamations de surprise et de joie de M. Pomerel. L'une de ses meilleures qualités, pense-t-elle, c'est qu'il sait manifester ses sentiments autant qu'il le faut ! Les enfants en auront pour leur compte.

— Qui vient avec moi acheter de quoi déjeuner ?

— Moi, dit Caroline, je crois que Thierry veut revoir le chargement, on n'a pas laissé assez de place pour le chien, il est tout le temps sur mes genoux !

Tandis que Mme Vauban prépare le café et le thé — heureusement que Margot vient d'en racheter ! —, installe le couvert dans la véranda, toutes portes ouvertes sur le jardin, Margot saisit son porte-monnaie et, accompagnée de Caroline, se dirige vers le pâtissier-boulanger qui fait de si bons croissants.

— Vous avez tous l'air bien, dit-elle en surveillant

son intonation : surtout, ne pas donner le sentiment d'une inquisition !

— Ne t'en fais pas, maman, dit Caroline en riant des précautions de sa mère, Thierry et moi, on a trouvé un accord... En fait, on a conclu un pacte.

Margot ne peut s'empêcher de réagir.

— Parce que le mariage n'en est pas un ?

— Si, bien sûr, mais il a parfois besoin d'être aménagé, surtout à notre époque...

— Bon, dit Margot, je ne te demande rien... J'espère seulement que vous saurez le renouveler, votre pacte, autant de fois qu'il le faudra.

— Imagine-toi que je l'espère aussi...

L'a-t-elle eue, son aventure ? En est-elle déjà lassée, ou est-elle seulement passée au bord de la tentation ? Margot comprend soudain qu'elle ne le saura pas. C'est mieux ainsi. Au fond, la vie privée de sa fille, elle s'en rend compte, ne l'intéresse pas, la gêne même.

Seul compte leur lien à elles deux, qui lui aussi a besoin d'évoluer. Elles feraient peut-être bien, elles aussi, de conclure un nouveau pacte ! C'est peut-être ce qui est en train de se produire, pour que Caroline soit venue comme ça, sans prévenir ? Une idée à elle, sûrement.

— Maman, quand comptes-tu rentrer à Paris ?

— Je ne sais pas encore, dans quelques jours... Cela dépend un peu de ton grand-père...

— Il m'a parlé, grand-père, la dernière fois !

— Ah ? De quoi ?

— De toi. Il est embêté à cause de toi. Il craint de t'abandonner.

— M'abandonner ?

De surprise, Margot manque lâcher ses paquets, elle s'arrête sur le trottoir, dévisage Caroline qui rit de bon cœur avant de répondre :

— Imagine-toi que Mme de Brizambourg l'a invité

à venir passer le mois de septembre chez elle, dans un petit appartement qu'elle a à Cannes. Il en meurt d'envie, mais il ne sait pas comment te l'annoncer ! « Que va devenir Margot ? » m'a-t-il dit... Il ne t'en a pas parlé ?

— Pas un mot.

— Alors, je fais bien de t'affranchir... Il serait capable de s'en priver pour ne pas te peiner !

— Mais pourquoi veux-tu que ça me peine ?

— Ça n'est pas moi qui le pense, c'est lui... Vous feriez bien d'avoir une bonne explication, tous les deux.

— D'abord, j'adore rester seule ; ensuite, c'est tout simple, je rentrerai plus tôt à Paris. J'ai des tas de choses à faire là-bas, et comme ça, je pourrai t'aider avec la rentrée scolaire...

— Je sais, maman, tu n'es pas une femme sans ressources ; seulement, je crois qu'il faut te faire à l'idée que tu es remplacée auprès de grand-père !

Caroline a raison, il faut qu'elle se rende compte qu'elle est encore moins nécessaire qu'elle ne le pensait — et ça n'était déjà pas beaucoup.

Tout le monde est à table quand elles reviennent et le monceau de brioches et de croissants qu'elles déversent dans deux saladiers de faïence fait pousser des cris de joie à la maisonnée. Non que les uns ou les autres soient d'ordinaire privés de douceurs, mais cette abondance signifie qu'à nouveau ils sont nombreux, ensemble, en famille.

Margot est si remuée par ce que lui a dit Caroline qu'elle n'éprouve pas vraiment de regret lorsque les enfants remontent rapidement dans la grosse voiture, surchargés de derniers baisers et de recommandations de prudence.

— On vous appellera ce soir pour vous dire qu'on est bien arrivés. Promis.

Puis c'est fini.

— Je suis bien content d'avoir vu mes petites-filles en si bonne forme, dit M. Pomerel.

Il voudrait prolonger encore un peu le moment d'excitation, mais il n'y a rien à faire, le silence se réinstalle, reprend le dessus. Il s'est assis à son bureau et Margot vient se camper en face de lui.

— Papa...

— Oui.

— Il faudrait peut-être que nous fassions des projets, nous aussi, pour l'automne.

— Si tu veux. Tu en as ?

— Oui, j'ai des rendez-vous à Paris et je rentrerai dans quelques jours. Et toi ? Violette a peut-être envie de retourner chez elle...

— Eh bien, justement, dit M. Pomerel en manipulant ses instruments à écrire, imagine-toi que Mme de Brizambourg a un appartement à Cannes, qu'elle loue tous les ans en août, au moment des chaleurs. Maintenant que les locataires vont être partis, elle voudrait voir dans quel état ils l'ont laissé. Elle me demande de l'accompagner...

— Ce serait très gentil à toi, si tu en as le courage, dit Margot, devinant que le vieux monsieur, pour ne pas avouer qu'il meurt d'envie de cette escapade, préfère la mettre sur le compte du dévouement.

— Tu as raison, je ne peux pas laisser cette pauvre femme dans ces ennuis !

— Ces ennuis ?

— Eh bien oui, prendre le train, se retrouver dans ses affaires en désordre... Avoir peut-être à discuter avec l'agence. Je l'aiderai !

— Tu lui seras d'un grand secours, je n'en doute pas. Et puis Cannes, en septembre, ça n'est pas désagréable...

— Il y a bien longtemps que je n'y suis pas retourné, dit-il, d'un air rêveur... La dernière fois, c'était...

Il n'achève pas. Ce devait être avec sa femme Amélie, sa mère à elle.

En recommençant une aventure, M. Pomerel, en fait, renoue avec son passé. Oui, se dit Margot, vivre avec Violette est chez lui un acte de fidélité envers Amélie, qui prouve, sans qu'il le sache, qu'il ne s'est pas consolé de son veuvage. La blessure est toujours ouverte, c'est pour ça qu'il y a une place à ses côtés pour une autre femme. En réalité, cette femme, il n'a pas cessé de l'attendre, et elle est revenue. Est-ce si important qu'il ne s'agisse plus de la même ? C'est le même amour, le même merveilleux besoin d'un autre être.

— Mon papa, dit Margot en se levant pour l'embrasser, je suis contente pour toi.

— Mais toi ? dit aussitôt M. Pomerel, je m'inquiète à ton sujet !

— Je viens de te dire que je dois rentrer à Paris...

— C'est pour ton bonheur que je m'inquiète. Je te trouve bien seule.

Margot se contente de hausser un peu les épaules, elle retire sa main de celle de M. Pomerel, se détourne pour aller remettre de l'ordre dans la maison.

— Il y a les enfants, dit-elle sur le seuil de la porte.

— Oui, c'est vrai, dit M. Pomerel, il y a les enfants.

CHAPITRE XXXIV

Margot a voulu que M. Pomerel et Mme de Brizambourg partent avant elle. Ainsi, elle a pu retenir leurs places de train à la gare où elle les a conduits un matin après les avoir aidés à boucler leurs bagages.

— Tu crois que je prends mon costume blanc ?

— Mais bien entendu, papa, il peut faire très chaud dans le Midi en septembre.

— Et mon smoking ?

— Pourquoi pas, si vous allez au Casino ?

— A nos âges, remarque, cela m'étonnerait, on est trop vieux !

— Il n'y a pas de limite d'âge supérieure pour être admis dans un casino !

M. Pomerel a ri sous sa moustache, et Margot a compris qu'il mourait d'envie d'aller voir comment se comportait la roulette, depuis toutes ces années, et si les femmes étaient toujours aussi élégantes.

« Peu importe qu'il le fasse ou non, s'est-elle dit en pliant dans la valise son vieux smoking un peu usé au col et aux manches — comme sa vue a baissé, il ne s'en aperçoit pas —, l'important, c'est qu'il en ait envie ! »

Quant à Mme de Brizambourg, elle palpite d'excitation et d'inquiétude mêlées :

— Il faut que vous soyez prévenu, Séverin, mon appartement est minuscule, à peine meublé ! A côté de votre belle maison, cela va vous paraître terriblement modeste, et j'ai bien peur que vous ne vous sentiez à l'étroit...

— Ma bonne amie, du moment que je suis avec vous, je serai parfaitement bien. Vous m'avez dit qu'on voit la mer ?

— Le balcon-terrasse donne sur la Croisette ; de ce point de vue, c'est splendide, vous pourrez prendre votre petit déjeuner en regardant la baie !

— C'est ce que je faisais quand je descendais au Martinez..., murmure M. Pomerel pour lui tout seul.

C'est qu'il a adoré la Côte d'Azur, autrefois. Son luxe, son bien-vivre, son climat, tout ce qui permet, si l'on sait en profiter, de raffiner ses goûts et de cultiver ses manières.

Toutefois, ils ne sont plus jeunes, et Margot s'est préoccupée de leur commander une voiture de louage, avec chauffeur, lequel doit venir les chercher à la descente du wagon et les accompagner jusque dans l'appartement. Une femme de ménage viendra s'occuper d'eux quelques heures par jour.

Mme de Brizambourg, en dépit des protestations de M. Pomerel — « Mais je ne suis pas un gigolo, je ne veux pas qu'une femme paie pour moi ! » —, a décrété qu'elle prenait tout à son compte. Elle est si heureuse ! Et puis, a-t-elle dit, elle n'a rien dépensé en août, elle entend se rattraper.

— Dans ces conditions, nous irons jouer et c'est moi qui vous rattraperai ça ! Autrefois, j'avais une certaine chance au jeu... On verra si j'ai encore la baraka !

Assis aux deux coins-fenêtres du wagon, le visage épanoui, leurs revues sur les genoux, ils lui adressent des grands signes d'adieu. Juste avant de monter dans la voiture, M. Pomerel avait dit à sa fille, d'un ton concentré : « Je te remercie de tout ce que tu fais pour moi. »

Sur l'instant, Margot n'a pas su quoi répliquer. Ce qu'elle fait pour lui ? En réalité, elle a le sentiment de l'accomplir pour elle. Pour sa propre tranquillité, son plaisir aussi. Son confort intérieur.

La voici délivrée, maintenant, sans souci pour ce qui concerne son père. Comme elle ne s'en fait pas non plus pour les enfants, eh bien, il ne lui reste plus qu'à penser à elle.

S'occuper d'elle-même.

De retour à la maison, elle s'aperçoit que Mme Vauban lui a installé un couvert solitaire dans la salle à manger, face à la télévision. C'est trop triste !

— Oh non, Mme Vauban, je préfère manger à la cuisine, comme ça je ne serai pas seule, nous parlerons... Et puis, vous savez, je n'ai pas très faim, je ne prendrai qu'un plat et un fruit.

Vite avalés.

Comment va-t-elle occuper son après-midi ? Peut-être en s'autorisant une promenade sur la Côte sauvage, et, si l'eau est encore bonne, elle tentera de se baigner. Se tremper, en tout cas. En revenant, elle fera sa valise et elle partira demain.

Elle va pour se diriger vers le salon, afin d'écouter les informations télévisées — il est près d'une heure —, quand Mme Vauban lui dit :

— Vous avez vu votre courrier ? Je l'ai laissé dans l'entrée.

Margot n'avait pas remarqué la lettre, posée près du grand vase de fleurs, parmi ces nombreux prospectus qu'on ramasse sans arrêt dans les boîtes et qu'on ne regarde même plus.

Elle était de Pierre. Que lui voulait-il ?

Après l'avoir lue, Margot est retournée vers Mme Vauban qui avait ôté sa blouse blanche, remis son manteau, ses chaussures hautes, et s'apprêtait à s'en aller.

— Vous savez, Mme Vauban, je crois que je vais partir aujourd'hui. Ça ne sert à rien que je reste là toute seule, je n'en ai pas pour longtemps à faire ma valise, et autant rouler en fin d'après-midi, les journées sont encore longues et j'arriverai avant la nuit.

— Vous avez raison, dit Mme Vauban, ça me faisait gros cœur de vous voir rester seule dans cette maison, après tout le monde qu'il y a eu cet été ! Vous voulez que je vous aide ? J'ai encore un peu de temps. Je fermerai la maison derrière vous.

Margot accepte la proposition et Mme Vauban retire son manteau. En fait, Margot n'a pas envie de réfléchir. Tout en réunissant ses affaires pour les mettre dans des sacs, une valise, elle peut s'occuper l'esprit en parlant de la maison avec Mme Vauban.

— Vous n'oublierez pas d'éteindre le chauffe-eau.

— Je le fais tout de suite.

— Et emportez bien tout ce qu'il y a d'utilisable dans le frigidaire.

— Bien sûr, Madame, comme ça je pourrai l'arrêter. Je ne laisse que le congélateur, pour le retour de Monsieur.

Le chargement, avec l'aide de Mme Vauban, est vite fait, et, après avoir pris de l'essence cours Reverseaux, franchi le péage, Margot se retrouve sur l'autoroute, direction Paris.

C'est alors que les mots de la lettre de Pierre lui reviennent en mémoire sans qu'elle ait à la relire. Elle l'a parfaitement en tête, pour ne l'avoir parcourue qu'une fois :

Si je te disais que je suis vieux, tu rirais, et puis tu me dirais que je ne suis pas poli, puisque nous avons le même âge... Alors je vais seulement te dire que je suis sur mon chemin et que j'en ai déjà parcouru un bon bout. Le plus ardu ? Je n'en sais rien. Peut-être, peut-être pas... Ce que je sais, c'est que je n'ai pas envie de faire ce qu'il en reste tout seul. Je veux dire sans toi.

J'ai bien réfléchi, j'ai essayé les autres femmes, elles m'ennuient, ou ne me conviennent pas. Je suis devenu très égoïste, j'ai mes habitudes, mes besoins de solitude et de silence, et quand je rencontre une femme nouvelle, elle attend l'inverse : que je m'occupe d'elle tout le temps ! Cela ne me va pas. Cela ne m'ira jamais. Je n'ai plus l'âge, ni le goût, ni l'énergie de jouer les amoureux.

Si je te parle autant de moi, c'est parce que j'espère que tu as fait le même genre d'expérience, depuis toutes ces années, et que tu vas me dire : « C'est exactement ce qui m'est arrivé : les hommes nouveaux, à mon âge, cela ne me convient plus, c'est trop d'efforts ! » J'espère aussi que tu ajouteras : « En même temps, j'en ai assez de la solitude, j'ai besoin de parler à quelqu'un de temps en temps. »

Pourquoi ça ne serait pas moi ? Nous avons toujours très bien parlé ensemble... Et puis, nous avons tellement de points communs ! Je ne songe pas seulement aux enfants ni aux souvenirs. Il me semble que nous avons évolué dans le même sens et que nous aimons de plus en plus les mêmes choses, la mer, par exemple, le calme, la lecture, et de moins en moins la ville...

Est-ce que je me trompe ?

Je devrais peut-être te parler d'amour. Mais j'ai un autre défaut qui se développe avec l'âge, je deviens de plus en plus pudique sur ce sujet-là. Ou coquet : je n'ose plus, je préfère que ce soit l'autre — toi — qui me fasse des déclarations. Qui me dise : « J'ai envie de vieillir avec toi. J'arrive. »

Cela s'arrête là. Ni « je t'embrasse », encore moins « je t'attends ! »

A prendre ou à laisser.

Quand Margot a lu cette lettre, tout à l'heure, dans l'odeur fine qui se dégageait du bouquet de cosmos, elle ne s'est pas dit : « Qu'est-ce qui lui prend, il faut que je réfléchisse, j'ai besoin de temps, de peser le pour et le contre... »

Elle a tout de suite pensé, ou plutôt senti, qu'elle allait rentrer à Paris. C'était l'évidence.

Elle n'était même pas émue.

Maintenant, tout ce qui lui vient à l'esprit en conduisant, c'est que, s'il y en a une qui va être bien étonnée, c'est Caroline !

A moins qu'ils n'en aient déjà parlé, Pierre et elle ? On lui fait beaucoup de cachotteries, ces temps-ci.

En s'arrêtant à une station-service pour reprendre de l'essence et boire du café, Margot se dirige vers le téléphone.

— Caroline, c'est moi ! Imagine-toi que je suis sur l'autoroute, je rentre...

— Ah, tant mieux, maman, j'ai envie de te voir très vite, j'ai quelque chose à te dire...

— Je crois que je sais ce que c'est !

— Tu as deviné ?

— Ton père m'a écrit, j'ai reçu sa lettre ce matin.

— Il te l'a dit ? Il n'a pas pu s'en empêcher, alors...

— Il valait mieux, non ?

— Je comptais te faire la surprise...

— Ne t'en fais pas, c'en est une ! J'arrive à peine à y croire, c'est pour ça que je rentre... Tu sais, Caroline, cela me rend très heureuse. C'est bien vrai au moins ?

— Oui, maman, c'est tout à fait vrai, tu peux te réjouir : j'attends un enfant !

DU MÊME AUTEUR

Un été sans histoire, Mercure de France, 1973. Folio, 958.
Je m'amuse et je t'aime, Gallimard, 1976. Folio, 1359.
Grands cris dans la nuit du couple, Gallimard, 1976. Folio, 1359.
La Jalousie, Fayard, 1977. Idées Gallimard, 0505.
Une femme en exil, Grasset, 1979.
Divine Passion, Grasset, 1981.
Envoyez la petite musique..., Grasset, 1984. Le Livre de Poche, Biblio/essais, 4079.
Un flingue sous les roses, Gallimard, 1985.
La Maison de Jade, Grasset, 1986. Le Livre de Poche, 6441.
Adieu l'amour, Fayard, 1987. Le Livre de Poche, 6523.
Une saison de feuilles, Fayard, 1988. Le Livre de Poche, 6663.
Douleur d'août, Grasset, 1988. Le Livre de Poche, 6792.
Quelques pas sur la terre, Gallimard, 1989.
La Chair de la robe, Fayard, 1989. Le Livre de Poche, 6901.
Si aimée, si seule, Fayard, 1990. Le Livre de Poche, 6999.
Le Retour du bonheur, Fayard, 1990. Le Livre de Poche, 4553.
Mère et filles, Fayard, 1992. Le Livre de Poche, 9760.

Le Livre de Poche Biblio

Extrait du catalogue

Le LIVRE de POCHE

Sherwood ANDERSON
Pauvre Blanc

Guillaume APOLLINAIRE
L'Hérésiarque et Cie

Miguel Angel ASTURIAS
Le Pape vert

Djuna BARNES
La Passion

Adolfo BIOY CASARES
Journal de la guerre au cochon

Karen BLIXEN
Sept contes gothiques

Mikhail BOULGAKOV
La Garde blanche
Le Maître et Marguerite
J'ai tué
Les Œufs fatidiques

Ivan BOUNINE
Les Allées sombres

André BRETON
Anthologie de l'humour noir
Arcane 17

Erskine CALDWELL
Les Braves Gens du Tennessee

Italo CALVINO
Le Vicomte pourfendu

Elias CANETTI
Histoire d'une jeunesse (1905-1921) - *La langue sauvée*
Histoire d'une vie (1921-1931) - *Le flambeau dans l'oreille*
Histoire d'une vie (1931-1937) - *Jeux de regard*
Les Voix de Marrakech
Le Témoin auriculaire

Raymond CARVER
Les Vitamines du bonheur
Parlez-moi d'amour
Tais-toi, je t'en prie

Camillo José CELA
Le Joli Crime du carabinier

Blaise CENDRARS
Rhum

Varlam CHALAMOV
La Nuit
Quai de l'enfer

Jacques CHARDONNE
Les Destinées sentimentales
L'Amour c'est beaucoup plus que l'amour

Jerome CHARYN
Frog

Bruce CHATWIN
Le Chant des pistes

Hugo CLAUS
Honte

Carlo COCCIOLI
Le Ciel et la Terre
Le Caillou blanc

Jean COCTEAU
La Difficulté d'être

Cyril CONNOLLY
Le Tombeau de Palinure

Joseph CONRAD et Ford MADOX FORD
L'Aventure

René CREVEL
La Mort difficile
Mon corps et moi

Alfred DÖBLIN
Le Tigre bleu
L'Empoisonnement

Lawrence DURRELL
Cefalù
Vénus et la mer
L'Ile de Prospero

Friedrich DÜRRENMATT
La Panne
La Visite de la vieille dame
La Mission

J.G. FARRELL
Le Siège de Krishnapur

Paula FOX
Pauvre Georges!

Jean GIONO
Mort d'un personnage
Le Serpent d'étoiles
Triomphe de la vie
Les Vraies Richesses

Vassili GROSSMAN
Tout passe

Lars GUSTAFSSON
La Mort d'un apiculteur

Knut HAMSUN
La Faim
Esclaves de l'amour
Mystères
Victoria

Hermann HESSE
Rosshalde
L'Enfance d'un magicien
Le Dernier Été de Klingsor
Peter Camenzind
Le poète chinois
Souvenirs d'un Européen
Le Voyage d'Orient
Bohumil HRABAL
Moi qui ai servi le roi d'Angleterre
Les Palabreurs
Tendres Barbares
Yasushi INOUÉ
Le Fusil de chasse
Le Faussaire
Henry JAMES
Roderick Hudson
La Coupe d'or
Le Tour d'écrou
Ernst JÜNGER
Orages d'acier
Jardins et routes
(Journal I, 1939-1940)
Premier journal parisien
(Journal II, 1941-1943)
Second journal parisien
(Journal III, 1943-1945)
La Cabane dans la vigne
(Journal IV, 1945-1948)
Héliopolis
Abeilles de verre
Ismail KADARÉ
Avril brisé
Qui a ramené Doruntine ?
Le Général de l'armée morte
Invitation à un concert officiel
La Niche de la honte
L'Année noire
Le Palais des rêves
Franz KAFKA
Journal
Yasunari KAWABATA
Les Belles Endormies
Pays de neige
La Danseuse d'Izu
Le Lac
Kyôto
Le Grondement de la montagne
Le Maître ou le tournoi de go
Chronique d'Asakusa
Les Servantes d'auberge
Abé KÔBÔ
La Femme des sables
Le Plan déchiqueté
Andrzeij KUSNIEWICZ
L'État d'apesanteur
Pär LAGERKVIST
Barabbas
LAO SHE
Le Pousse-pousse
Un fils tombé du ciel
D.H. LAWRENCE
Le Serpent à plumes
Primo LEVI
Lilith
Le Fabricant de miroirs
Sinclair LEWIS
Babbitt
LUXUN
Histoire d'AQ : Véridique biographie
Carson McCULLERS
Le cœur est un chasseur solitaire
Reflets dans un œil d'or
La Ballade du café triste
L'Horloge sans aiguilles
Frankie Addams
Le Cœur hypothéqué
Naguib MAHFOUZ
Impasse des deux palais
Le Palais du désir
Le Jardin du passé
Thomas MANN
Le Docteur Faustus
Les Buddenbrook
Katherine MANSFIELD
La Journée de Mr. Reginald Peacock
Henry MILLER
Un diable au paradis
Le Colosse de Maroussi
Max et les phagocytes
Paul MORAND
La Route des Indes
Bains de mer
East India and Company
Vladimir NABOKOV
Ada ou l'ardeur
Anaïs NIN
Journal 1 - *1931-1934*
Journal 2 - *1934-1939*
Journal 3 - *1939-1944*
Journal 4 - *1944-1947*
Joyce Carol OATES
Le Pays des merveilles
Edna O'BRIEN
Un cœur fanatique
Une rose dans le cœur
PA KIN
Famille
Mervyn PEAKE
Titus d'Enfer

Leo PERUTZ
La Neige de saint Pierre
La Troisième Balle
La Nuit sous le pont de pierre
Turlupin
Le Maître du jugement dernier
Où roules-tu, petite pomme ?

Luigi PIRANDELLO
La Dernière Séquence
Feu Mathias Pascal

Ezra POUND
Les Cantos

Augusto ROA BASTOS
Moi, le Suprême

Joseph ROTH
Le Poids de la grâce

Raymond ROUSSEL
Impressions d'Afrique

Salman RUSHDIE
Les Enfants de minuit

Arthur SCHNITZLER
Vienne au crépuscule
Une jeunesse viennoise
Le Lieutenant Gustel
Thérèse
Les Dernières Cartes
Mademoiselle Else

Leonardo SCIASCIA
Œil de chèvre
La Sorcière et le Capitaine
Monsieur le Député
Petites Chroniques
Le Chevalier et la Mort

Isaac Bashevis SINGER
Shosha
Le Domaine

André SINIAVSKI
Bonne nuit !

George STEINER
Le Transport de A. H.

Tarjei VESAAS
Le Germe

Alexandre VIALATTE
La Dame du Job
La Maison du joueur de flûte

Franz WERFEL
Le Passé ressuscité
Une écriture bleu pâle

Thornton WILDER
Le Pont du roi Saint-Louis
Mr. North

Virginia WOOLF
Orlando
Les Vagues
Mrs. Dalloway
La Promenade au phare
La Chambre de Jacob
Années
Entre les actes
Flush
Instants de vie

Composition réalisée par EUROCOMPOSITION

IMPRIMÉ EN FRANCE PAR BRODARD ET TAUPIN
Usine de La Flèche (Sarthe).
LIBRAIRIE GÉNÉRALE FRANÇAISE - 6, rue Pierre-Sarrazin - 75006 Paris.
ISBN : 2 - 253 - 06551 - X 30/9746/6